edition suhrkamp
suhrkamp texte

Redaktion: Günther Busch

Die suhrkamp texte sind Studienausgaben, die es vor allem jüngeren
Lesern leicht machen sollen, einen Autor durch charakteristische Arbeiten kennenzulernen und über sie Zugang zu seinem Gesamtwerk
zu finden. Die suhrkamp texte enthalten Nachworte von Literatur-
historikern oder Kritikern und einen bio-bibliographischen Anhang.

Bertolt Brecht, geboren am 10. Februar 1898 in Augsburg, starb am 14. August 1956 in Berlin.

In den neun Bänden der Gesamtausgabe *Gedichte* liegt Brechts lyrisches Werk geschlossen vor. Aus den über tausend Gedichten dieser Edition wählt unsere Ausgabe 90 Gedichte aus. Sie bietet damit ein Konzentrat des lyrischen Werkes, gleichzeitig zeigt sie aber auch, wie meisterlich Brecht sich der vielen lyrischen Formen bediente. Die ersten beiden Texte sind Gedichte des 16jährigen Schülers am Beginn des Ersten Weltkriegs, die letzten Gedichte unseres Bandes sind die letzten lyrischen Äußerungen Brechts. Es sei an Peter Suhrkamps Wort erinnert: »Daß Brecht als Dichter, im Gedicht und im Drama, die Historie unseres Volkes seit 1918 schreibt, wird noch viel zu wenig gesehen.«

»Ich habe keinen Zweifel daran, daß Bertolt Brecht der größte lebende deutsche Lyriker ist.« *Hannah Arendt, 1950*

Bertolt Brecht
Ausgewählte Gedichte

Auswahl von Siegfried Unseld
Nachwort von Walter Jens

Suhrkamp Verlag

edition suhrkamp 86
Erste Auflage 1964
© Suhrkamp Verlag, Frankfurt am Main 1964. Die Zusammenstellung
erfolgte für die edition suhrkamp. Sämtliche Gedichte sind enthalten in
den Bänden 1–7 der Ausgabe *Gedichte,* Frankfurt am Main 1960–1964.
Der Wortlaut der Gedichte folgt den *Gedichten* 1–7. Printed in Germany.
Alle Rechte vorbehalten, insbesondere das der Übersetzung, des öffent-
lichen Vortrags und des Rundfunkvortrags, auch einzelner Abschnitte.
Druck: Nomos Verlagsgesellschaft, Baden-Baden. Gesamtausstattung Willy
Fleckhaus.

18 19 20 21 – 94

Gedichte

Über literarische Formen muß man die Realität befragen, nicht die Ästhetik, auch nicht die des Realismus. Die Wahrheit kann auf viele Arten verschwiegen und auf viele Arten gesagt werden. *Bertolt Brecht, 1938*

Der Nachgeborene

Ich gestehe es: ich
Habe keine Hoffnung.
Die Blinden reden von einem Ausweg. Ich
Sehe.

Wenn die Irrtümer verbraucht sind
Sitzt als letzter Gesellschafter
Uns das Nichts gegenüber.

Moderne Legende

Als der Abend übers Schlachtfeld wehte
Waren die Feinde geschlagen.
Klingend die Telegrafendrähte
Haben die Kunde hinausgetragen.

Da schwoll am einen Ende der Welt
Ein Heulen, das am Himmelsgewölbe zerschellt'
Ein Schrei, der aus rasenden Mündern quoll
Und wahnsinnstrunken zum Himmel schwoll.
Tausend Lippen wurden vom Fluchen blaß
Tausend Hände ballten sich wild im Haß.

Und am andern Ende der Welt
Ein Jauchzen am Himmelsgewölbe zerschellt
Ein Jubeln, ein Toben, ein Rasen der Lust
Ein freies Aufatmen und Recken der Brust.
Tausend Lippen wühlten im alten Gebet
Tausend Hände falteten fromm sich und stet.

In der Nacht noch spät
Sangen die Telegrafendräht'
Von den Toten, die auf dem Schlachtfeld geblieben . . .

Siehe, da ward es still bei Freunden und Feinden.

Nur die Mütter weinten
Hüben – und drüben.

Kalendergedicht

Zwar ist meine Haut von Schnee zerfressen
Und von Sonne rot gegerbt ist mein Gesicht
Viele sagten aus, sie kennten mich nicht mehr, indessen
Ändert sich der gegen Winter ficht.

Sitzt er auch gelassen auf den Steinen
Daß der Schwamm ihm auswächst im Genick
Die Gestirne, die ihn kühl bescheinen
Wissen ihn nicht mager und nicht dick.

Sondern die Gestirne wissen wenig
Sahn ihn noch nicht, und er ist schon alt
Und das Licht wird schwärzer, fettig oder sehnig
Sitzt er schauernd in der Sonne, ihm ist kalt.

Ach, die Nägel an den schwarzen Zehen
Schnitt er längst nicht mehr, mein lieber Schwan
Sondern sieh, er ließ sie lieber stehen
Und zog einfach große Stiefel an.

Eine Zeit lang saß er in der Sonne
Einen Satz sprach er gen Mittag zu
Abends spürte er noch etwas Wonne
Und wünscht nachts nichts mehr als etwas Ruh.

Einst floß Wasser durch ihn durch, und Tiere
Sind verschwunden in ihm, und er ward nicht satt
Fraß er Luft, fraß er Stiere
Er ward matt.

Der Choral vom großen Baal

1
Als im weißen Mutterschoße aufwuchs Baal
War der Himmel schon so groß und still und fahl
Jung und nackt und ungeheuer wundersam
Wie ihn Baal dann liebte, als Baal kam.

2
Und der Himmel blieb in Lust und Kummer da
Auch wenn Baal schlief, selig war und ihn nicht sah:
Nachts er violett und trunken Baal
Baal früh fromm, er aprikosenfahl.

3
Und durch Schnapsbudike, Dom, Spital
Trottet Baal mit Gleichmut und gewöhnt sich's ab.
Mag Baal müd sein, Kinder, nie sinkt Baal:
Baal nimmt seinen Himmel mit hinab.

4
In der Sünder schamvollem Gewimmel
Lag Baal nackt und wälzte sich voll Ruh:
Nur der Himmel, aber i m m e r Himmel
Deckte mächtig seine Blöße zu.

5

Und das große Weib Welt, das sich lachend gibt
Dem, der sich zermalmen läßt von ihren Knien
Gab ihm einige Ekstase, die er liebt
Aber Baal starb nicht: er sah nur hin.

6

Und wenn Baal nur Leichen um sich sah
War die Wollust immer doppelt groß.
Man hat Platz, sagt Baal, es sind nicht viele da.
Man hat Platz, sagt Baal, in dieses Weibes Schoß.

7

Ob es Gott gibt oder keinen Gott
Kann, solang es Baal gibt, Baal gleich sein.
Aber das ist Baal zu ernst zum Spott:
Ob es Wein gibt oder keinen Wein.

8

Gibt ein Weib, sagt Baal, euch alles her
Laßt es fahren, denn sie hat nicht mehr!
Fürchtet Männer nicht beim Weib, die sind egal:
Aber Kinder fürchtet sogar Baal.

9

Alle Laster sind zu etwas gut
Nur der Mann nicht, sagt Baal, der sie tut.
Laster sind was, weiß man was man will.
Sucht euch zwei aus: eines ist zu viel!

10

Nicht so faul, sonst gibt es nicht Genuß!
Was man will, sagt Baal, ist, was man muß.
Wenn ihr Kot macht, ist's, sagt Baal, gebt acht
Besser noch, als wenn ihr gar nichts macht!

11

Seid nur nicht so faul und so verweicht
Denn Genießen ist bei Gott nicht leicht!
Starke Glieder braucht man und Erfahrung auch:
Und mitunter stört ein dicker Bauch.

12

Man muß stark sein, denn Genuß macht schwach.
Geht es schief, sich freuen noch am Krach!
Der bleibt ewig jung, wie er's auch treibt
Der sich jeden Abend selbst entleibt.

13

Und schlägt Baal einmal zusammen was
Um zu sehen, wie es innen sei –
Ist es schade, aber 's ist ein Spaß
Und 's ist Baals Stern, Baal war selbst so frei.

14

Und wär Schmutz dran, er gehört nun mal
Ganz und gar, mit allem drauf, dem Baal
Ja, sein Stern gefällt ihm, Baal ist drein verliebt –
Schon weil es 'nen andern Stern nicht gibt.

15

Zu den feisten Geiern blinzelt Baal hinauf
Die im Sternenhimmel warten auf den Leichnam Baal.
Manchmal stellt sich Baal tot. Stürzt ein Geier drauf
Speist Baal einen Geier, stumm, zum Abendmahl.

16

Unter düstern Sternen in dem Jammertal
Grast Baal weite Felder schmatzend ab.
Sind sie leer, dann trottet singend Baal
In den ewigen Wald zum Schlaf hinab.

17

Und wenn Baal der dunkle Schoß hinunterzieht:
Was ist Welt für Baal noch? Baal ist satt.
Soviel Himmel hat Baal unterm Lid
Daß er tot noch grad gnug Himmel hat.

18

Als im dunklen Erdenschoße faulte Baal
War der Himmel noch so groß und still und fahl
Jung und nackt und ungeheuer wunderbar
Wie ihn Baal einst liebte, als Baal war.

Erinnerung an die Marie A.

1

An jenem Tag im blauen Mond September
Still unter einem jungen Pflaumenbaum
Da hielt ich sie, die stille bleiche Liebe
In meinem Arm wie einen holden Traum.
Und über uns im schönen Sommerhimmel
War eine Wolke, die ich lange sah
Sie war sehr weiß und ungeheuer oben
Und als ich aufsah, war sie nimmer da.

2

Seit jenem Tag sind viele, viele Monde
Geschwommen still hinunter und vorbei.
Die Pflaumenbäume sind wohl abgehauen
Und fragst du mich, was mit der Liebe sei?
So sag ich dir: Ich kann mich nicht erinnern
Und doch, gewiß, ich weiß schon, was du meinst.
Doch ihr Gesicht, das weiß ich wirklich nimmer
Ich weiß nur mehr: ich küßte es dereinst.

3

Und auch den Kuß, ich hätt ihn längst vergessen
Wenn nicht die Wolke dagewesen wär
Die weiß ich noch und werd ich immer wissen
Sie war sehr weiß und kam von oben her.
Die Pflaumenbäume blühn vielleicht noch immer
Und jene Frau hat jetzt vielleicht das siebte Kind
Doch jene Wolke blühte nur Minuten
Und als ich aufsah, schwand sie schon im Wind.

Liturgie vom Hauch

1

Einst kam ein altes Weib einher

2

Die hatte kein Brot zum Essen mehr

3

Das Brot, das fraß das Militär

4

Da fiel sie in die Goss', die war kalte

5

Da hatte sie keinen Hunger mehr.

6

Darauf schwiegen die Vögelein im Walde
Über allen Wipfeln ist Ruh
In allen Gipfeln spürest du
Kaum einen Hauch.

7

Da kam einmal ein Totenarzt einher

8

Der sagte: Die Alte besteht auf ihrem Schein

9

Da grub man die hungrige Alte ein

10

So sagte das alte Weib nichts mehr

11

Nur der Arzt lachte noch über die Alte.

12

Auch die Vögelein schwiegen im Walde
Über allen Wipfeln ist Ruh
In allen Gipfeln spürest du
Kaum einen Hauch.

13

Da kam einmal ein einziger Mann einher

14

Der hatte für die Ordnung gar keinen Sinn

15

Der fand in der Sache einen Haken drin

16

Der war eine Art Freund für die Alte

17

Der sagte, ein Mensch müsse essen können, bitte sehr –

18
Darauf schwiegen die Vögelein im Walde
Über allen Wipfeln ist Ruh
In allen Gipfeln spürest du
Kaum einen Hauch.

19
Da kam mit einemmal ein Kommissar einher

20
Der hatte einen Gummiknüppel dabei

21
Und zerklopfte dem Mann seinen Hinterkopf zu Brei

22
Und da sagte auch dieser Mann nichts mehr

23
Doch der Kommissar sagte, daß es schallte:

24
Und jetzt schweigen die Vögelein im Walde
Über allen Wipfeln ist Ruh
In allen Gipfeln spürest du
Kaum einen Hauch.

25
Da kamen einmal drei bärtige Männer einher

26
Die sagten, das sei nicht eines einzigen Mannes Sache allein.

27
Und sie sagten es so lang, bis es knallte

28
Aber dann krochen Maden durch ihr Fleisch in ihr Bein

29
Da sagten die bärtigen Männer nichts mehr.

30
Darauf schwiegen die Vögelein im Walde
Über allen Wipfeln ist Ruh
In allen Gipfeln spürest du
Kaum einen Hauch.

31
Da kamen mit einemmal viele Männer einher

32
Die wollten einmal reden mit dem Militär

33
Doch das Militär redete mit dem Maschinengewehr

34
Und da sagten alle die Männer nichts mehr.

35
Doch sie hatten auf der Stirn noch eine Falte.

36
Darauf schwiegen die Vögelein im Walde
Über allen Wipfeln ist Ruh
In allen Gipfeln spürest du
Kaum einen Hauch.

37
Da kam einmal ein großer roter Bär einher

38
Der wußte nichts von den Bräuchen hier, das brauchte er
   nicht als Bär.

39
Doch er war nicht von gestern und ging nicht auf jeden Teer

40
Und der fraß die Vögelein im Walde.

41
Da schwiegen die Vögelein nicht mehr
Über allen Wipfeln ist Unruh
In allen Gipfeln spürest du
Jetzt einen Hauch.

Erster Psalm

1. Wie erschreckend in der Nacht ist das konvexe Gesicht des
schwarzen Landes!

2. Über der Welt sind die Wolken, sie gehören zur Welt. Über
den Wolken ist nichts.

3. Der einsame Baum im Steinfeld muß das Gefühl haben,
daß alles umsonst ist. Er hat noch nie einen Baum gesehen. Es
gibt keine Bäume.

4. Immer denke ich: wir werden nicht beobachtet. Der Aus-
satz des einzigen Sternes in der Nacht, vor er untergeht!

5. Der warme Wind bemüht sich noch um Zusammenhänge,
der Katholik.

6. Ich komme sehr vereinzelt vor. Ich habe keine Geduld. Unser armer Bruder Vergeltsgott sagte von der Welt: sie macht nichts.

7. Wir fahren mit großer Geschwindigkeit auf ein Gestirn in der Milchstraße zu. Es ist eine große Ruhe in dem Gesicht der Erde. Mein Herz geht zu schnell. Sonst ist alles in Ordnung.

Von der Freundlichkeit der Welt

1

Auf die Erde voller kaltem Wind
Kamt ihr alle als ein nacktes Kind.
Frierend lagt ihr ohne alle Hab
Als ein Weib euch eine Windel gab.

2

Keiner schrie euch, ihr wart nicht begehrt
Und man holte euch nicht im Gefährt.
Hier auf Erden wart ihr unbekannt
Als ein Mann euch einst nahm an der Hand.

3

Von der Erde voller kaltem Wind
Geht ihr all bedeckt mit Schorf und Grind.
Fast ein jeder hat die Welt geliebt
Wenn man ihm zwei Hände Erde gibt.

Ballade vom Weib und dem Soldaten

Das Schießgewehr schießt, und das Spießmesser spießt
Und das Wasser frißt auf, die drin waten.
Was könnt ihr gegen Eis? Bleibt weg, 's ist nicht weis'!
Sagte das Weib zum Soldaten.

Doch der Soldat mit der Kugel im Lauf
Hörte die Trommel und lachte darauf:
Marschieren kann nimmermehr schaden!
Hinab nach dem Süden, nach dem Norden hinauf
Und das Messer fängt er mit Händen auf!
Sagten zum Weib die Soldaten.

Ach, bitter bereut, wer des Weisen Rat scheut
Und vom Alter sich nicht läßt beraten.
Ach, zu hoch nicht hinaus, es geht übel aus!
Sagte das Weib zum Soldaten.

Doch der Soldat mit dem Messer im Gurt
Lacht' ihr kalt ins Gesicht und ging über die Furt
Was konnte das Wasser ihm schaden?
Wenn weiß der Mond überm Schindeldach steht
Kommen wir wieder; nimm's auf ins Gebet!
Sagten zum Weib die Soldaten.

Ihr vergeht wie der Rauch, und die Wärme geht auch
Und uns wärmen nicht eure Taten!
Ach, wie schnell geht der Rauch! Gott behüte ihn auch!
Sagte das Weib vom Soldaten.

Und der Soldat mit dem Messer im Gurt
Sank hin mit dem Spieß, und mit riß ihn die Furt
Und das Wasser fraß auf, die drin waten.
Kühl stand der Mond überm Schindeldach weiß

Doch der Soldat trieb hinab mit dem Eis
Und was sagten dem Weib die Soldaten?

Er verging wie der Rauch, und die Wärme ging auch
Und es wärmten sie nicht seine Taten.
Ach, bitter bereut, wer des Weisen Rat scheut!
Sagte das Weib den Soldaten.

Vom armen B. B.

1
Ich, Bertolt Brecht, bin aus den schwarzen Wäldern.
Meine Mutter trug mich in die Städte hinein
Als ich in ihrem Leibe lag. Und die Kälte der Wälder
Wird in mir bis zu meinem Absterben sein.

2
In der Asphaltstadt bin ich daheim. Von allem Anfang
Versehen mit jedem Sterbsakrament:
Mit Zeitungen. Und Tabak. Und Branntwein.
Mißtrauisch und faul und zufrieden am End.

3
Ich bin zu den Leuten freundlich. Ich setze
Einen steifen Hut auf nach ihrem Brauch.
Ich sage: es sind ganz besonders riechende Tiere
Und ich sage: es macht nichts, ich bin es auch.

4
In meine leeren Schaukelstühle vormittags
Setze ich mir mitunter ein paar Frauen
Und ich betrachte sie sorglos und sage ihnen:
In mir habt ihr einen, auf den könnt ihr nicht bauen.

5

Gegen Abend versammle ich um mich Männer
Wir reden uns da mit »Gentlemen« an.
Sie haben ihre Füße auf meinen Tischen
Und sagen: es wird besser mit uns. Und ich frage nicht: wann?

6

Gegen Morgen in der grauen Frühe pissen die Tannen
Und ihr Ungeziefer, die Vögel, fängt an zu schrein.
Um die Stunde trink ich mein Glas in der Stadt aus und
    schmeiße
Den Tabakstummel weg und schlafe beunruhigt ein.

7

Wir sind gesessen, ein leichtes Geschlechte
In Häusern, die für unzerstörbare galten
(So haben wir gebaut die langen Gehäuse des Eilands
    Manhattan
Und die dünnen Antennen, die das Atlantische Meer
    unterhalten).

8

Von diesen Städten wird bleiben: der durch sie hindurchging,
    der Wind!
Fröhlich machet das Haus den Esser: er leert es.
Wir wissen, daß wir Vorläufige sind
Und nach uns wird kommen: nichts Nennenswertes.

9

Bei den Erdbeben, die kommen werden, werde ich hoffentlich
Meine Virginia nicht ausgehen lassen durch Bitterkeit
Ich, Bertolt Brecht, in die Asphaltstädte verschlagen
Aus den schwarzen Wäldern in meiner Mutter in früher Zeit.

Vom ertrunkenen Mädchen

1

Als sie ertrunken war und hinunterschwamm
Von den Bächen in die größeren Flüsse
Schien der Opal des Himmels sehr wundersam
Als ob er die Leiche begütigen müsse.

2

Tang und Algen hielten sich an ihr ein
So daß sie langsam viel schwerer ward.
Kühl die Fische schwammen an ihrem Bein
Pflanzen und Tiere beschwerten noch ihre letzte Fahrt.

3

Und der Himmel ward abends dunkel wie Rauch
Und hielt nachts mit den Sternen das Licht in Schwebe.
Aber früh ward er hell, daß es auch
Noch für sie Morgen und Abend gebe.

4

Als ihr bleicher Leib im Wasser verfaulet war
Geschah es (sehr langsam), daß Gott sie allmählich vergaß
Erst ihr Gesicht, dann die Hände und ganz zuletzt erst ihr
    Haar.
Dann ward sie Aas in Flüssen mit vielem Aas.

Von den großen Männern

1

Die großen Männer sagen viele dumme Sachen
Sie halten alle Leute für dumm
Und die Leute sagen nichts und lassen sie machen
Dabei geht die Zeit herum.

2
Die großen Männer essen aber und trinken
Und füllen sich den Bauch
Und die andern Leute hören von ihren Taten
Und essen und trinken auch.

3
Der große Alexander, um zu leben
Brauchte die Großstadt Babylon
Und es hat andere Leute gegeben
Die brauchten sie nicht. Du bist einer davon.

4
Der große Kopernikus ging nicht schlafen
Er hatte ein Fernrohr in der Hand
Und rechnete aus: die Erde drehe sich um die Sonne
Und glaubte nun, daß er den Himmel verstand.

5
Der große Bert Brecht verstand nicht die einfachsten Dinge
Und dachte nach über die schwierigsten, wie zum Beispiel
    das Gras
Und lobte den großen Napoleon
Weil er auch aß.

6
Die großen Männer tun, als ob sie weise wären
Und reden sehr laut – wie die Tauben.
Die großen Männer sollte man ehren
Aber man sollte ihnen nicht glauben.

Der gordische Knoten

I

Als der Mann aus Makedämon
Mit dem Schwert den Knoten
Durchhauen hatte, nannten sie ihn
Abends in Gordium »Sklave
Seines Ruhms«.

Denn ihr Knoten war
Eines der spärlichen Wunder der Welt
Kunstwerk eines Mannes, dessen Gehirn
(Das verwickeltste der Welt!) kein anderes
Zeugnis hatte zurücklassen können als
Zwanzig Schnüre, verwickelt zu dem Behuf
Endlich gelöst zu werden durch die leichteste
Hand der Welt! Leichteste außer der
Die ihn geknüpft. Ach, der Mann
Dessen Hand ihn knüpfte, war
Nicht ohne Plan, ihn zu lösen, jedoch
Reichte die Zeit seines Lebens, angefüllt
Leider nur aus für das eine, das Knüpfen.
Eine Sekunde genügte
Ihn zu durchhauen.

Von jenem, der ihn durchhieb
Sagten viele, dies sei
Noch sein glücklichster Hieb gewesen
Der billigste, am wenigsten schädliche.
Jener Unbekannte brauchte mit Recht
Einzustehen nicht mit seinem Namen
Für sein Werk, das halb war
Wie alles Göttliche
Aber der Depp, der es zerstörte
Mußte wie auf höhren Befehl
Nennen seinen Namen und sich zeigen dem Erdteil.

Sagten so jene in Gordium, sage ich:
Nicht alles, was schwer fällt, ist nützlich, und
Seltener genügt eine Antwort
Um eine Frage aus der Welt zu schaffen
Als eine Tat.

Aus einem »Lesebuch für Städtebewohner«

Oft in der Nacht träume ich, ich kann
Meinen Unterhalt nicht mehr verdienen.
Die Tische, die ich mache, braucht
Niemand in diesem Land. Die Fischhändler sprechen
Chinesisch.

Meine nächsten Anverwandten
Schauen mir fremd ins Gesicht
Die Frau, mit der ich sieben Jahre schlief
Grüßt mich höflich im Hausflur und
Geht lächelnd
Vorbei.

Ich weiß
Daß die letzte Kammer schon leer steht
Die Möbel schon weggeräumt sind
Die Matratze schon zerschlitzt
Der Vorhang schon abgerissen ist.
Kurz, es ist alles bereit, mein
Trauriges Gesicht
Zum Erblassen zu bringen.

Die Wäsche, im Hof zum Trocknen aufgehängt
Ist meine Wäsche, ich erkenne sie gut.
Näher hinblickend, sehe ich

Allerdings
Nähte darinnen und angesetzte Stücke.
Es scheint
Ich bin ausgezogen. Jemand anderes
Wohnt jetzt hier und
Sogar in
Meiner Wäsche.

Die Liebenden

Sieh jene Kraniche in großem Bogen!
Die Wolken, welche ihnen beigegeben
Zogen mit ihnen schon, als sie entflogen
Aus einem Leben in ein andres Leben.
In gleicher Höhe und mit gleicher Eile
Scheinen sie alle beide nur daneben.
Daß so der Kranich mit der Wolke teile
Den schönen Himmel, den sie kurz befliegen
Daß also keines länger hier verweile
Und keines andres sehe als das Wiegen
Des andern in dem Wind, den beide spüren
Die jetzt im Fluge beieinander liegen
So mag der Wind sie in das Nichts entführen
Wenn sie nur nicht vergehen und sich bleiben
So lange kann sie beide nichts berühren
So lange kann man sie von jedem Ort vertreiben
Wo Regen drohen oder Schüsse schallen.
So unter Sonn und Monds wenig verschiedenen Scheiben
Fliegen sie hin, einander ganz verfallen.
Wohin, ihr? – Nirgend hin. – Von wem davon? – Von allen.
Ihr fragt, wie lange sind sie schon beisammen?
Seit kurzem. – Und wann werden sie sich trennen? – Bald.
So scheint die Liebe Liebenden ein Halt.

Entdeckung an einer jungen Frau

Des Morgens nüchterner Abschied, eine Frau
Kühl zwischen Tür und Angel, kühl besehn.
Da sah ich: eine Strähn in ihrem Haar war grau
Ich konnt mich nicht entschließen mehr zu gehn.

Stumm nahm ich ihre Brust, und als sie fragte
Warum ich Nachtgast nach Verlauf der Nacht
Nicht gehen wolle, denn so war's gedacht
Sah ich sie unumwunden an und sagte:

Ist's nur noch eine Nacht, will ich noch bleiben
Doch nütze deine Zeit; das ist das Schlimme
Daß du so zwischen Tür und Angel stehst.

Und laß uns die Gespräche rascher treiben
Denn wir vergaßen ganz, daß du vergehst.
Und es verschlug Begierde mir die Stimme.

Lied der Lyriker

(als schon im ersten Drittel des 20. Jahrhunderts für Gedichte nichts mehr gezahlt wurde)

1

Das, was ihr hier lest, ist in Versen geschrieben!
Ich sage das, weil ihr vielleicht nicht mehr wißt
Was ein Gedicht und auch was ein Dichter ist!
Wirklich, ihr habt es mit uns nicht zum besten getrieben!

2

Sagt, habt ihr nichts bemerkt? Habt ihr gar nichts zu fragen?
Fiel's euch nicht auf, daß schon lang kein Gedicht mehr erschien?
Wißt ihr warum? Nun schön, ich will es euch sagen:
Früher las man den Dichter, und man bezahlte ihn.

3

Heute wird nichts mehr bezahlt für Gedichte. Das ist es.
Darum wird heut auch kein Gedicht mehr geschrieben!
Denn der Dichter fragt auch: Wer bezahlt es? Und nicht *nur:*
        Wer liest es?
Und wenn er nicht bezahlt wird, dann dichtet er nicht! So
        weit habt ihr's getrieben.

4

Aber warum nur? so fragt er, was hab ich verbrochen?
Hab ich nicht immer getan, was verlangt wurd von denen, die
        zahlen?
Hielt ich nicht immer das, was ich versprochen?
Und jetzt höre ich auch von denen, die Bilder malen

5

Daß kein Bild mehr gekauft wird! Und auch die Bilder
Waren doch immer geschmeichelt! Jetzt stehn sie im Speicher...

Habt ihr was gegen uns? Warum wollt ihr nicht zahlen?
Wie wir doch lesen, werdet ihr reicher und reicher ...

6

Haben wir nicht, wenn wir genügend im Magen
Hatten, euch alles besungen, was ihr auf Erden genossen?
Daß ihr es nochmals genösset: das Fleisch eurer Weiber!
Trauer des Herbstes! Den Bach, und wie er durch Mondlicht
     geflossen ...

7

Eurer Früchte Süße! Geräusch des fallenden Laubes!
Wieder das Fleisch eurer Weiber! Das Unsichtbare
Über euch! Selbst euer Gedenken des Staubes
In den ihr euch einst verwandelt am End eurer Jahre!

8

Und nicht nur das habt ihr gerne bezahlt! Auch das, was wir
     denen
Sagten, die nicht wie ihr auf die goldenen Stühle gesetzt sind
Habt ihr sonst immer bezahlt! Dies Trocknen der Tränen!
Und dies Trösten derer, die von euch verletzt sind!

9

Vieles haben wir euch geleistet! Und nie uns geweigert!
Stets unterwarfen wir uns! Und sagten doch höchstens:
     Bezahl es!
Wieviel Untat haben wir so verübt! Für euch! Wieviel Untat!
Und wir begnügten uns stets mit den Resten des Mahles!

10

Ach, vor eure in Dreck und Blut versunkene Karren
Haben wir noch immer unsere großen Wörter gespannt!
Euren Viehhof der Schlachten haben wir »Feld der Ehre«
Eure Kanonen »erzlippige Brüder« genannt.

11

Auf die Zettel, die für euch Steuern verlangten
Haben wir die erstaunlichsten Bilder gemalt.
Unsere anfeuernden Lieder brüllend
Haben sie euch immer wieder die Steuern bezahlt!

12

Wir haben die Wörter studiert und gemischt wie Drogen
Und nur die besten und allerstärksten verwandt.
Die sie von uns bezogen, haben sie eingesogen
Und waren wie Lämmer in eurer Hand!

13

Euch selber haben wir stets mit was ihr nur wolltet verglichen
Meistens mit solchen, die auch schon mit Unrecht gefeiert
wurden von solchen
Die wie wir ohne Warmes im Magen Gönner umstrichen
Und eure Feinde verfolgten wir wild mit Gedichten wie
Dolchen.

14

Warum also besucht ihr plötzlich nicht mehr unsre Märkte?
Sitzt nicht so lange beim Essen! Uns werden die Reste ja
kalt!
Warum bestellt ihr nichts mehr bei uns? Kein Bild? Nicht ein
Loblied?
Glaubt ihr etwa auf einmal, daß ihr so, wie ihr seid, gefallt?

15

Hütet euch, ihr! Ihr könnt uns durchaus nicht entbehren!
Wenn wir nur wüßten, wie euer Aug auf uns lenken!
Glaubt uns, ihr Herren, daß wir heut billiger wären!
Freilich können wir euch unsere Bilder und Verse nicht
schenken!

Als ich das, was ihr hier lest (ach, lest ihr's?), begonnen
Wollt ich auch jede dritte Zeile in Reimen verfassen.
Aber da war mir die Arbeit zu groß, ich gesteh es nicht gerne
Und ich dachte: wer soll das bezahlen? und hab es gelassen.

Verlangt nicht zuviel Klugheit

Verlangt nicht zuviel Klugheit:
Da ist nicht soviel Klugheit nötig, einzusehen
Daß eins mehr als keins ist.

Rechnet nicht nur mit der Verläßlichkeit:
Seinen einzigen Helfer
Wird schon keiner verlassen.

Zählt nicht nur auf die Mutigen:
Ihr Leben zu retten
Sind die meisten mutig genug.

Die Auswanderung der Dichter

Homer hatte kein Heim
Und Dante mußte das seine verlassen.
Li-Po und Tu-Fu irrten durch Bürgerkriege
Die 30 Millionen Menschen verschlangen
Dem Euripides drohte man mit Prozessen
Und dem sterbenden Shakespeare hielt man den Mund zu.
Den François Villon suchte nicht nur die Muse
Sondern auch die Polizei.
»Der Geliebte« genannt
Ging Lukrez in die Verbannung
So Heine, und so auch floh
Brecht unter das dänische Strohdach.

Ausschließlich wegen
der zunehmenden Unordnung

Ausschließlich wegen der zunehmenden Unordnung
In unseren Städten des Klassenkampfs
Haben etliche von uns in diesen Jahren beschlossen
Nicht mehr zu reden von Hafenstädten, Schnee auf den
      Dächern, Frauen
Geruch reifer Äpfel im Keller, Empfindungen des Fleisches
All dem, was den Menschen rund macht und menschlich
Sondern zu reden nur mehr von der Unordnung
Also einseitig zu werden, dürr, verstrickt in die Geschäfte
Der Politik und das trockene »unwürdige« Vokabular
Der dialektischen Ökonomie
Damit nicht dieses furchtbare gedrängte Zusammensein
Von Schneefällen (sie sind nicht nur kalt, wir wissen's)
Ausbeutung, verlocktem Fleisch und Klassenjustiz eine
      Billigung
So vielseitiger Welt in uns erzeuge, Lust an
Den Widersprüchen solch blutigen Lebens
Ihr versteht.

Lob der Dialektik

Das Unrecht geht heute einher mit sicherem Schritt.
Die Unterdrücker richten sich ein auf zehntausend Jahre.
Die Gewalt versichert: So, wie es ist, bleibt es.
Keine Stimme ertönt außer der Stimme der Herrschenden
Und auf den Märkten sagt die Ausbeutung laut: Jetzt beginne
      ich erst.
Aber von den Unterdrückten sagen viele jetzt:
Was wir wollen, geht niemals.

Wer noch lebt, sage nicht: niemals!
Das Sichere ist nicht sicher.
So, wie es ist, bleibt es nicht.
Wenn die Herrschenden gesprochen haben
Werden die Beherrschten sprechen.
Wer wagt zu sagen: niemals?
An wem liegt es, wenn die Unterdrückung bleibt? An uns.
An wem liegt es, wenn sie zerbrochen wird? Ebenfalls an uns.
Wer niedergeschlagen wird, der erhebe sich!
Wer verloren ist, kämpfe!
Wer seine Lage erkannt hat, wie soll der aufzuhalten sein?
Denn die Besiegten von heute sind die Sieger von morgen
Und aus Niemals wird: Heute noch!

Die Ballade vom Wasserrad

1
Von den Großen dieser Erde
Melden uns die Heldenlieder:
Steigend auf so wie Gestirne
Gehn sie wie Gestirne nieder.
Das klingt tröstlich, und man muß es wissen.
Nur: für uns, die sie ernähren müssen
Ist das leider immer ziemlich gleich gewesen.
Aufstieg oder Fall: wer trägt die Spesen?
      Freilich dreht das Rad sich immer weiter
      Daß, was oben ist, nicht oben bleibt.
      Aber für das Wasser unten heißt das leider
      Nur: daß es das Rad halt ewig treibt.

2
Ach, wir hatten viele Herren
Hatten Tiger und Hyänen
Hatten Adler, hatten Schweine

Doch wir nährten den und jenen.
Ob sie besser waren oder schlimmer:
Ach, der Stiefel glich dem Stiefel immer
Und uns trat er. Ihr versteht, ich meine
Daß wir keine andern Herren brauchen, sondern keine!
    Freilich dreht das Rad sich immer weiter
    Daß, was oben ist, nicht oben bleibt.
    Aber für das Wasser unten heißt das leider
    Nur: daß es das Rad halt ewig treibt.

3
Und sie schlagen sich die Köpfe
Blutig, raufend um die Beute
Nennen andre gierige Tröpfe
Und sich selber gute Leute.
Unaufhörlich sehn wir sie einander grollen
Und bekämpfen. Einzig und alleinig
Wenn wir sie nicht mehr ernähren wollen
Sind sie sich auf einmal völlig einig.
    Denn dann dreht das Rad sich nicht mehr weiter
    Und das heitre Spiel, es unterbleibt
    Wenn das Wasser endlich mit befreiter
    Stärke seine eigne Sach betreibt.

Deutschland

Mögen andere von ihrer Schande sprechen,
ich spreche von der meinen.

O Deutschland, bleiche Mutter!
Wie sitzest du besudelt
Unter den Völkern.
Unter den Befleckten
Fällst du auf.

Von deinen Söhnen der ärmste
Liegt erschlagen.
Als sein Hunger groß war
Haben deine anderen Söhne
Die Hand gegen ihn erhoben.
Das ist ruchbar geworden.

Mit ihren so erhobenen Händen
Erhoben gegen ihren Bruder
Gehen sie jetzt frech vor dir herum
Und lachen in dein Gesicht.
Das weiß man.

In deinem Hause
Wird laut gebrüllt, was Lüge ist.
Aber die Wahrheit
Muß schweigen.
Ist es so?

Warum preisen dich ringsum die Unterdrücker, aber
Die Unterdrückten beschuldigen dich?
Die Ausgebeuteten
Zeigen mit Fingern auf dich, aber
Die Ausbeuter loben das System
Das in deinem Hause ersonnen wurde!

Und dabei sehen dich alle
Den Zipfel deines Rockes verbergen, der blutig ist
Vom Blut deines
Besten Sohnes.

Hörend die Reden, die aus deinem Hause dringen, lacht man.
Aber wer dich sieht, der greift nach dem Messer
Wie beim Anblick einer Räuberin.

O Deutschland, bleiche Mutter!
Wie haben deine Söhne dich zugerichtet
Daß du unter den Völkern sitzest
Ein Gespött oder eine Furcht!

Was nützt die Güte

1

Was nützt die Güte
Wenn die Gütigen sogleich erschlagen werden, oder es werden
     erschlagen
Die, zu denen sie gütig sind?

Was nützt die Freiheit
Wenn die Freien unter den Unfreien leben müssen?

Was nützt die Vernunft
Wenn die Unvernunft allein das Essen verschafft, das jeder
     benötigt?

2

Anstatt nur gütig zu sein, bemüht euch
Einen Zustand zu schaffen, der die Güte ermöglicht, und
     besser:
Sie überflüssig macht!

Anstatt nur frei zu sein, bemüht euch
Einen Zustand zu schaffen, der alle befreit
Auch die Liebe zur Freiheit
Überflüssig macht!

Anstatt nur vernünftig zu sein, bemüht euch
Einen Zustand zu schaffen, der die Unvernunft der einzelnen
Zu einem schlechten Geschäft macht!

Über das Lehren ohne Schüler

Lehren ohne Schüler
Schreiben ohne Ruhm
Ist schwer.

Es ist schön, am Morgen wegzugehen
Mit den frisch beschriebenen Blättern
Zu dem wartenden Drucker, über den summenden Markt
Wo sie Fleisch verkaufen und Handwerkszeug:
Du verkaufst Sätze.

Der Fahrer ist schnell gefahren
Er hat nicht gefrühstückt
Jede Kurve war ein Risiko
Er tritt eilig in die Tür:
Der, den er abholen wollte
Ist schon aufgebrochen.

Dort spricht der, dem niemand zuhört:
Er spricht zu laut
Er wiederholt sich
Er sagt Falsches:
Er wird nicht verbessert.

Warum soll mein Name genannt werden?

1
Einst dachte ich: in fernen Zeiten
Wenn die Häuser zerfallen sind, in denen ich wohne
Und die Schiffe verfault, auf denen ich fuhr
Wird mein Name noch genannt werden
Mit andren.

2
Weil ich das Nützliche rühmte, das
Zu meinen Zeiten für unedel galt
Weil ich die Religionen bekämpfte
Weil ich gegen die Unterdrückung kämpfte oder
Aus einem andren Grund.

3
Weil ich für die Menschen war und
Ihnen alles überantwortete, sie so ehrend
Weil ich Verse schrieb und die Sprache bereicherte
Weil ich praktisches Verhalten lehrte oder
Aus irgendeinem andren Grund.

4
Deshalb meinte ich, wird mein Name noch genannt
Werden, auf einem Stein
Wird mein Name stehen, aus den Büchern
Wird er in die neuen Bücher abgedruckt werden.

5
Aber heute
Bin ich einverstanden, daß er vergessen wird.
Warum
Soll man nach dem Bäcker fragen, wenn genügend Brot da ist?
Warum
Soll der Schnee gerühmt werden, der geschmolzen ist
Wenn neue Schneefälle bevorstehen?
Warum
Soll es eine Vergangenheit geben, wenn es eine
Zukunft gibt?

6
Warum
Soll mein Name genannt werden?

Der Gedanke in den Werken der Klassiker

Nackt und ohne Behang
Tritt er vor dich hin, ohne Scham, denn er ist
Seiner Nützlichkeit sicher. Es bekümmert ihn nicht
Daß du ihn schon kennst, ihm genügt es
Daß du ihn vergessen hast.
Er spricht
Mit der Grobheit der Größe. Ohne Umschweife
Ohne Einleitung
Tritt er auf, gewohnt
Beachtung zu finden, seiner Nützlichkeit wegen.
Sein Hörer ist das Elend, das keine Zeit hat.
Kälte und Hunger wachen
Über die Aufmerksamkeit der Hörer. Die geringste
    Unaufmerksamkeit
Verurteilt sie zum sofortigen Untergang.
Tritt er aber so herrisch auf
So zeigt er doch, daß er ohne seine Hörer nichts ist
Weder gekommen wäre, noch wüßte
Wohin gehen oder wo bleiben
Wenn sie ihn nicht aufnehmen. Ja, von ihnen nicht belehrt
Den gestern noch Unwissenden
Verlöre er schnell seine Kraft und verkäme eilig.

Der Zweifler

Immer wenn uns
Die Antwort auf eine Frage gefunden schien
Löste einer von uns an der Wand die Schnur der alten
Aufgerollten chinesischen Leinwand, so daß sie herabfiel und
Sichtbar wurde der Mann auf der Bank, der
So sehr zweifelte.

Ich, sagte er uns
Bin der Zweifler, ich zweifle, ob
Die Arbeit gelungen ist, die eure Tage verschlungen hat.
Ob, was ihr gesagt, auch schlechter gesagt, noch für einige
　　Wert hätte.
Ob ihr es aber gut gesagt und euch nicht etwa
Auf die Wahrheit verlassen habt dessen, was ihr gesagt habt.
Ob es nicht vieldeutig ist, für jeden möglichen Irrtum
Tragt ihr die Schuld. Es kann auch eindeutig sein
Und den Widerspruch aus den Dingen entfernen; ist es zu
　　eindeutig?
Dann ist es unbrauchbar, was ihr sagt. Euer Ding ist dann
　　leblos.
Seid ihr wirklich im Fluß des Geschehens? Einverstanden mit
Allem, was wird? Werdet *ihr* noch? Wer seid ihr? Zu wem
Sprecht ihr? Wem nützt es, was ihr da sagt? Und nebenbei:
Läßt es auch nüchtern? Ist es am Morgen zu lesen?
Ist es auch angeknüpft an Vorhandenes? Sind die Sätze, die
Vor euch gesagt sind, benutzt, wenigstens widerlegt? Ist alles
　　belegbar?
Durch Erfahrung? Durch welche? Aber vor allem
Immer wieder vor allem andern: Wie handelt man
Wenn man euch glaubt, was ihr sagt? Vor allem: Wie
　　handelt man?

Nachdenklich betrachteten wir mit Neugier den zweifelnden
Blauen Mann auf der Leinwand, sahen uns an und
Begannen von vorne.

Der Insasse

Als ich es vor Jahren lernte
Einen Wagen zu steuern, hieß mich mein Lehrer
Eine Zigarre rauchen; und wenn sie mir
In dem Gewühl des Verkehrs oder in spitzen Kurven
Ausging, jagte er mich vom Steuer. Auch
Witze erzählte er während des Fahrens, und wenn ich
Allzu beschäftigt mit Steuern, nicht lachte, nahm er mir
Das Steuer ab. Ich fühle mich unsicher, sagte er.
Ich, der Insasse, erschrecke, wenn ich sehe
Daß der Lenker des Wagens allzu beschäftigt ist
Mit Lenken.

Seitdem beim Arbeiten
Sehe ich zu, mich nicht allzu sehr in die Arbeit zu vertiefen.
Ich achte auf mancherlei um mich herum
Manchmal unterbreche ich meine Arbeit, um ein Gespräch zu
        führen.
Schneller zu fahren als daß ich noch rauchen kann
Habe ich mir abgewöhnt. Ich denke an
Den Insassen.

Das neunzehnte Sonett

An einem Tag, wo keine Nachricht kam
Rief ich die Wächter: die sechs Elefanten
Zum Bogen des Triumphes, und sie standen gram.
Nachts gegen elf im Boulevard

Leicht schaukelnd äugten sie mich an. Ich sagte:
Als ich sie eurem Schutze ließ, befahl
Ich euch, in Brei zu stampfen siebenmal
Jedweden, über den sie sich beklagte.

Sie standen schweigend, bis das größte Tier
Den Rüssel hob und boshaft langsam zielend
Wies es trompetend nach dem Schuldigen: nach *mir*.

Und donnernd stob der Haufe auf mich zu. Ich floh.
Und so verfolgt, floh ich ins Postamt, wo
Ich einen Brief schrieb, scheu durchs Fenster schielend.

Zitat

Der Dichter Kin sagte:
Wie soll ich unsterbliche Werke schreiben, wenn ich nicht
    berühmt bin?
Wie soll ich antworten, wenn ich nicht gefragt werde?
Warum soll ich Zeit verlieren über Versen, wenn die Zeit sie
    verliert?
Ich schreibe meine Vorschläge in einer haltbaren Sprache
Weil ich fürchte, es dauert lange, bis sie ausgeführt sind.
Damit das Große erreicht wird, bedarf es großer Änderungen.
Die kleinen Änderungen sind die Feinde der großen
    Änderungen.
Ich habe Feinde. Ich muß also berühmt sein.

Schlechte Zeit für Lyrik

Ich weiß doch: nur der Glückliche
Ist beliebt. Seine Stimme
Hört man gern. Sein Gesicht ist schön.

Der verkrüppelte Baum im Hof
Zeigt auf den schlechten Boden, aber
Die Vorübergehenden schimpfen ihn einen Krüppel
Doch mit Recht.

42

Die grünen Boote und die lustigen Segel des Sundes
Sehe ich nicht. Von allem
Sehe ich nur der Fischer rissiges Garnnetz.
Warum rede ich nur davon
Daß die vierzigjährige Häuslerin gekrümmt geht?
Die Brüste der Mädchen
Sind warm wie ehedem.

In meinem Lied ein Reim
Käme mir fast vor wie Übermut.

In mir streiten sich
Die Begeisterung über den blühenden Apfelbaum
Und das Entsetzen über die Reden des Anstreichers.
Aber nur das zweite
Drängt mich zum Schreibtisch.

Der Disput (anno domini 1938)

Ich sah sie stehen auf vier Hügeln. Zwei schrien und zwei
schwiegen. Sie waren alle vier umgeben von ihren Knechten, Tieren und Waren. Alle Knechte auf allen vier Hügeln
waren bleich und mager.
Alle vier waren im Zorn. Zwei hatten Messer in den Händen,
und zwei hatten die Messer in den Stiefelschäften.
»Gebt heraus, was ihr uns geraubt habt!« schrien zwei, »sonst
gibt es ein Unglück!« Und zwei schwiegen und sahen lässig
nach dem Wetter.
»Wir sind hungrig«, schrien zwei, »aber wir sind bewaffnet.«
Da begannen die beiden andern zu reden.
»Was wir euch weggenommen haben, war nichts wert und
wenig und machte euch nicht satt«, sagten sie würdig.
»Dann gebt es heraus, wenn es nichts wert ist«, schrien die
beiden andern.

»Uns gefallen die Messer nicht«, sagten die Würdigen. »Legt sie weg und ihr sollt etwas bekommen«. – »Leere Versprechungen«, schrien die Hungrigen. »Als wir die Messer nicht hatten, habt ihr nicht einmal etwas versprochen!«

»Warum verfertigt ihr nicht nützliche Waren?« fragten die Würdigen. »Weil ihr sie uns nicht verkaufen laßt«, antworteten die Hungrigen böse, »darum haben wir Messer verfertigt.«

Sie waren aber selber nicht hungrig, so zeigten sie denn immer auf ihre Knechte, die waren hungrig. Und die Würdigen sagten zueinander: »Unsere Knechte sind auch hungrig.«

Und sie gingen hinunter von ihren Hügeln, zu verhandeln, damit das Schreien aufhöre, denn da waren zu viel Hungrige. Und die beiden andern kamen auch herab von ihren Hügeln und das Gespräch wurde leise.

»Unter uns«, sagten zweie, »wir leben von unseren Knechten.« Und zwei nickten und sagten: »Das tun wir auch.«

»Wenn wir nichts bekommen«, sagten die Kriegerischen, »werden wir unsere Knechte gegen die euren schicken und ihr werdet besiegt werden.« – »Vielleicht werdet ihr besiegt werden«, lächelten die Friedlichen.

»Ja, vielleicht werden wir besiegt werden«, sagten die Kriegerischen. »Dann werden unsere Knechte sich auf uns stürzen und uns umbringen und mit euren Knechten sprechen, wie man euch umbringen kann. Denn wenn die Herren nicht miteinander sprechen, dann sprechen die Knechte miteinander.«

»Was braucht ihr?« fragten die Friedlichen erschrocken. Und die Kriegerischen zogen große Listen aus den Taschen.

Aber alle vier standen auf wie ein Mann und wandten sich zu allen Knechten und sagten laut: »Wir besprechen jetzt, wie wir den Frieden bewahren können.«

Und setzten sich und besahen die Listen und sie waren zu lang.

Also daß die Friedlichen zornrot wurden und sagten: »Wir

sehen, ihr wollt auch noch von unseren Knechten leben«, und
zurückgingen zu ihren Hügeln.
Da gingen auch die Kriegerischen zurück zu ihren Hügeln.
Ich sah sie stehen auf vier Hügeln und alle vier schrien. Alle
vier hatten Messer in den Händen und sagten zu ihren Knechten: »Die da drüben wollen, daß ihr für sie arbeitet! Da muß
der Krieg entscheiden.«

Über Deutschland

Ihr freundlichen bayrischen Wälder, ihr Mainstädte
Fichtenbestandene Rhön, du, schattiger Schwarzwald
Ihr sollt bleiben.
Thüringens rötliche Halde, sparsamer Strauch der Mark und
Ihr schwarzen Städte der Ruhr, von Eisenkähnen durchzogen,
    warum
Sollt ihr nicht bleiben?
Auch du, vielstädtiges Berlin
Unter und über dem Asphalt geschäftig, kannst bleiben und ihr
Hanseatische Häfen bleibt und Sachsens
Wimmelnde Städte, ihr bleibt und ihr schlesischen Städte
Rauchüberzogene, nach Osten blickende, bleibt auch.
Nur der Abschaum der Generäle und Gauleiter
Nur die Fabrikherren und Börsenmakler
Nur die Junker und Statthalter sollen verschwinden.
Himmel und Erde und Wind und das von den Menschen
    Geschaffene
Kann bleiben, aber
Das Geschmeiß der Ausbeuter, das
Kann nicht bleiben.

Die Literatur wird durchforscht werden

Für Martin Andersen Nexö

I

Die auf die goldenen Stühle gesetzt sind, zu schreiben
Werden gefragt werden nach denen, die
Ihnen die Röcke webten.
Nicht nach ihren erhabenen Gedanken
Werden ihre Bücher durchforscht werden, sondern
Irgendein beiläufiger Satz, der schließen läßt
Auf eine Eigenheit derer, die Röcke webten
Wird mit Interesse gelesen werden, denn hier mag es sich um Züge
Der berühmten Ahnen handeln.

Ganze Literaturen
In erlesenen Ausdrücken verfaßt
Werden durchsucht werden nach Anzeichen
Daß da auch Aufrührer gelebt haben, wo Unterdrückung war.
Flehentliche Anrufe überirdischer Wesen
Werden beweisen, daß da Irdische über Irdischen gesessen sind.
Köstliche Musik der Worte wird nur berichten
Daß da für viele kein Essen war.

II

Aber in jener Zeit werden gepriesen werden
Die auf dem nackten Boden saßen, zu schreiben
Die unter den Niedrigen saßen
Die bei den Kämpfern saßen.

Die von den Leiden der Niedrigen berichteten
Die von den Taten der Kämpfer berichteten
Kunstvoll. In der edlen Sprache
Vordem reserviert
Der Verherrlichung der Könige.

Ihre Beschreibungen der Mißstände und ihre Aufrufe
Werden noch den Daumenabdruck
Der Niedrigen tragen. Denn diesen
Wurden sie übermittelt, diese
Trugen sie weiter unter dem durchschwitzten Hemd
Durch die Kordone der Polizisten
Zu ihresgleichen.

Ja, es wird eine Zeit geben, wo
Diese Klugen und Freundlichen
Zornigen und Hoffnungsvollen
Die auf dem nackten Boden saßen, zu schreiben
Die umringt waren von Niedrigen und Kämpfern
Öffentlich gepriesen werden.

Motto der ›Svendborger Gedichte‹

Geflüchtet unter das dänische Strohdach, Freunde
Verfolg ich euren Kampf. Hier schick ich euch
Wie hin und wieder schon, die Verse, aufgescheucht
Durch blutige Gesichte über Sund und Laubwerk.
Verwendet, was euch erreicht davon, mit Vorsicht!
Vergilbte Bücher, brüchige Berichte
Sind meine Unterlage. Sehen wir uns wieder
Will ich gern wieder in die Lehre gehn.

Der Schneider von Ulm*

(Ulm 1592)

Bischof, ich kann fliegen
Sagte der Schneider zum Bischof.
Paß auf, wie ich's mach!
Und er stieg mit so 'nen Dingen
Die aussahn wie Schwingen
Auf das große, große Kirchendach.
    Der Bischof ging weiter.
    Das sind lauter so Lügen
    Der Mensch ist kein Vogel
    Es wird nie ein Mensch fliegen
    Sagte der Bischof vom Schneider.

Der Schneider ist verschieden
Sagten die Leute dem Bischof.
Es war eine Hatz.
Seine Flügel sind zerspellet
Und er liegt zerschellet
Auf dem harten, harten Kirchenplatz.
    Die Glocken sollen läuten
    Es waren nichts als Lügen
    Der Mensch ist kein Vogel
    Es wird nie ein Mensch fliegen
    Sagte der Bischof den Leuten.

* Legende aus der Zeit der Bauernkriege

Der Pflaumenbaum

Im Hofe steht ein Pflaumenbaum
Der ist klein, man glaubt es kaum.
Er hat ein Gitter drum
So tritt ihn keiner um.

Der Kleine kann nicht größer wer'n.
Ja größer wer'n, das möcht er gern.
's ist keine Red davon
Er hat zu wenig Sonn.

Den Pflaumenbaum glaubt man ihm kaum
Weil er nie eine Pflaume hat
Doch er ist ein Pflaumenbaum
Man kennt es an dem Blatt.

Fragen eines lesenden Arbeiters

Wer baute das siebentorige Theben?
In den Büchern stehen die Namen von Königen.
Haben die Könige die Felsbrocken herbeigeschleppt?
Und das mehrmals zerstörte Babylon –
Wer baute es so viele Male auf? In welchen Häusern
Des goldstrahlenden Lima wohnten die Bauleute?
Wohin gingen an dem Abend, wo die chinesische Mauer fertig
        war
Die Maurer? Das große Rom
Ist voll von Triumphbögen. Wer errichtete sie? Über wen
Triumphierten die Cäsaren? Hatte das vielbesungene Byzanz
Nur Paläste für seine Bewohner? Selbst in dem sagenhaften
        Atlantis
Brüllten in der Nacht, wo das Meer es verschlang
Die Ersaufenden nach ihren Sklaven.

Der junge Alexander eroberte Indien.
Er allein?
Cäsar schlug die Gallier.
Hatte er nicht wenigstens einen Koch bei sich?
Philipp von Spanien weinte, als seine Flotte
Untergegangen war. Weinte sonst niemand?
Friedrich der Zweite siegte im Siebenjährigen Krieg. Wer
Siegte außer ihm?

Jede Seite ein Sieg.
Wer kochte den Siegesschmaus?
Alle zehn Jahre ein großer Mann.
Wer bezahlte die Spesen?

So viele Berichte.
So viele Fragen.

Legende von der Entstehung des Buches Taoteking auf dem Weg des Laotse in die Emigration

1

Als er Siebzig war und war gebrechlich
Drängte es den Lehrer doch nach Ruh.
Denn die Güte war im Lande wieder einmal schwächlich
Und die Bosheit nahm an Kräften wieder einmal zu.
Und er gürtete den Schuh.

2

Und er packte ein, was er so brauchte:
Wenig. Doch es wurde dies und das.
So die Pfeife, die er immer abends rauchte
Und das Büchlein, das er immer las.
Weißbrot nach dem Augenmaß.

3

Freute sich des Tals noch einmal und vergaß es
Als er ins Gebirg den Weg einschlug.
Und sein Ochse freute sich des frischen Grases
Kauend, während er den Alten trug.
Denn dem ging es schnell genug.

4

Doch am vierten Tag im Felsgesteine
Hat ein Zöllner ihm den Weg verwehrt:
»Kostbarkeiten zu verzollen?« – »Keine.«
Und der Knabe, der den Ochsen führte, sprach: »Er hat
    gelehrt.«
Und so war auch das erklärt.

5

Doch der Mann in einer heitren Regung
Fragte noch: »Hat er was rausgekriegt?«
Sprach der Knabe: »Daß das weiche Wasser in Bewegung
Mit der Zeit den mächtigen Stein besiegt.
Du verstehst, das Harte unterliegt.«

6

Daß er nicht das letzte Tageslicht verlöre
Trieb der Knabe nun den Ochsen an
Und die drei verschwanden schon um eine schwarze Föhre
Da kam plötzlich Fahrt in unsern Mann
Und er schrie: »He, du! Halt an!

7

Was ist das mit diesem Wasser, Alter?«
Hielt der Alte: »Intressiert es dich?«
Sprach der Mann: »Ich bin nur Zollverwalter
Doch wer wen besiegt, das intressiert auch mich.
Wenn du's weißt, dann sprich!

8

Schreib mir's auf! Diktier es diesem Kinde!
So was nimmt man doch nicht mit sich fort.
Da gibt's doch Papier bei uns und Tinte
Und ein Nachtmahl gibt es auch: ich wohne dort.
Nun, ist das ein Wort?«

9

Über seine Schulter sah der Alte
Auf den Mann: Flickjoppe. Keine Schuh.
Und die Stirne eine einzige Falte.
Ach, kein Sieger trat da auf ihn zu.
Und er murmelte: »Auch du?«

10

Eine höfliche Bitte abzuschlagen
War der Alte, wie es schien, zu alt.
Denn er sagte laut: »Die etwas fragen
Die verdienen Antwort.« Sprach der Knabe: »Es wird auch
    schon kalt.«
»Gut, ein kleiner Aufenthalt.«

11

Und von seinem Ochsen stieg der Weise.
Sieben Tage schrieben sie zu zweit.
Und der Zöllner brachte Essen (und er fluchte nur noch leise
Mit den Schmugglern in der ganzen Zeit).
Und dann war's soweit.

12

Und dem Zöllner händigte der Knabe
Eines Morgens einundachtzig Sprüche ein.
Und mit Dank für eine kleine Reisegabe
Bogen sie um jene Föhre ins Gestein.
Sagt jetzt: kann man höflicher sein?

13

Aber rühmen wir nicht nur den Weisen
Dessen Name auf dem Buche prangt!
Denn man muß dem Weisen seine Weisheit erst entreißen.
Darum sei der Zöllner auch bedankt:
Er hat sie ihm abverlangt.

Gedanken über die Dauer des Exils

I
Schlage keinen Nagel in die Wand
Wirf den Rock auf den Stuhl!
Warum vorsorgen für vier Tage?
Du kehrst morgen zurück.

Laß den kleinen Baum ohne Wasser!
Wozu noch einen Baum pflanzen?
Bevor er so hoch wie eine Stufe ist
Gehst du froh weg von hier.

Zieh die Mütze ins Gesicht, wenn Leute vorbeigehn!
Wozu in einer fremden Grammatik blättern?
Die Nachricht, die dich heimruft
Ist in bekannter Sprache geschrieben.

So wie der Kalk vom Gebälk blättert
(Tue nichts dagegen!)
Wird der Zaun der Gewalt zermorschen
Der an der Grenze aufgerichtet ist
Gegen die Gerechtigkeit.

II

Sieh den Nagel in der Wand, den du eingeschlagen hast:
Wann, glaubst du, wirst du zurückkehren?
Willst du wissen, was du im Innersten glaubst?
Tag um Tag
Arbeitest du an der Befreiung
Sitzend in der Kammer schreibst du.
Willst du wissen, was du von deiner Arbeit hältst?
Sieh den kleinen Kastanienbaum im Eck des Hofes
Zu dem du die Kanne voll Wasser schlepptest!

Verjagt mit gutem Grund

Ich bin aufgewachsen als Sohn
Wohlhabender Leute. Meine Eltern haben mir
Einen Kragen umgebunden und mich erzogen
In den Gewohnheiten des Bedientwerdens
Und unterrichtet in der Kunst des Befehlens. Aber
Als ich erwachsen war und um mich sah
Gefielen mir die Leute meiner Klasse nicht
Nicht das Befehlen und nicht das Bedientwerden
Und ich verließ meine Klasse und gesellte mich
Zu den geringen Leuten.

So
Haben sie einen Verräter aufgezogen, ihn unterrichtet
In ihren Künsten, und er
Verrät sie dem Feind.

Ja, ich plaudere ihre Geheimnisse aus. Unter dem Volk
Stehe ich und erkläre
Wie sie betrügen, und sage voraus, was kommen wird, denn ich
Bin in ihre Pläne eingeweiht.
Das Lateinisch ihrer bestochenen Pfaffen
Übersetze ich Wort für Wort in die gewöhnliche Sprache, da
Erweist es sich als Humbug. Die Waage ihrer Gerechtigkeit
Nehme ich herab und zeige
Die falschen Gewichte. Und ihre Angeber berichten ihnen
Daß ich mit den Bestohlenen sitze, wenn sie
Den Aufstand beraten.

Sie haben mich verwarnt und mir weggenommen
Was ich durch meine Arbeit verdiente. Und als ich mich nicht
        besserte
Haben sie Jagd auf mich gemacht, aber
Da waren
Nur noch Schriften in meinem Haus, die ihre Anschläge
Gegen das Volk aufdeckten. So
Haben sie einen Steckbrief hinter mir hergesandt
Der mich niedriger Gesinnung beschuldigt, das ist:
Der Gesinnung der Niedrigen.

Wo ich hinkomme, bin ich so gebrandmarkt
Vor allen Besitzenden, aber die Besitzlosen
Lesen den Steckbrief und
Gewähren mir Unterschlupf. Dich, höre ich da
Haben sie verjagt mit
Gutem Grund.

An die Nachgeborenen

I

Wirklich, ich lebe in finsteren Zeiten!
Das arglose Wort ist töricht. Eine glatte Stirn
Deutet auf Unempfindlichkeit hin. Der Lachende
Hat die furchtbare Nachricht
Nur noch nicht empfangen.

Was sind das für Zeiten, wo
Ein Gespräch über Bäume fast ein Verbrechen ist
Weil es ein Schweigen über so viele Untaten einschließt!
Der dort ruhig über die Straße geht
Ist wohl nicht mehr erreichbar für seine Freunde
Die in Not sind?

Es ist wahr: ich verdiene noch meinen Unterhalt
Aber glaubt mir: das ist nur ein Zufall. Nichts
Von dem, was ich tue, berechtigt mich dazu, mich sattzuessen.
Zufällig bin ich verschont. (Wenn mein Glück aussetzt.
Bin ich verloren.)

Man sagt mir: Iß und trink du! Sei froh, daß du hast!
Aber wie kann ich essen und trinken, wenn
Ich es dem Hungernden entreiße, was ich esse, und
Mein Glas Wasser einem Verdurstenden fehlt?
Und doch esse und trinke ich.

Ich wäre gern auch weise.
In den alten Büchern steht, was weise ist:
Sich aus dem Streit der Welt halten und die kurze Zeit
Ohne Furcht verbringen

Auch ohne Gewalt auskommen
Böses mit Gutem vergelten
Seine Wünsche nicht erfüllen, sondern vergessen
Gilt für weise.
Alles das kann ich nicht:
Wirklich, ich lebe in finsteren Zeiten!

II
In die Städte kam ich zu der Zeit der Unordnung
Als da Hunger herrschte.
Unter die Menschen kam ich zu der Zeit des Aufruhrs
Und ich empörte mich mit ihnen.
So verging meine Zeit
Die auf Erden mir gegeben war.

Mein Essen aß ich zwischen den Schlachten
Schlafen legte ich mich unter die Mörder
Der Liebe pflegte ich achtlos
Und die Natur sah ich ohne Geduld.
So verging meine Zeit
Die auf Erden mir gegeben war.

Die Straßen führten in den Sumpf zu meiner Zeit.
Die Sprache verriet mich dem Schlächter.
Ich vermochte nur wenig. Aber die Herrschenden
Saßen ohne mich sicherer, das hoffte ich.
So verging meine Zeit
Die auf Erden mir gegeben war.

Die Kräfte waren gering. Das Ziel
Lag in großer Ferne.
Es war deutlich sichtbar, wenn auch für mich
Kaum zu erreichen.
So verging meine Zeit
Die auf Erden mir gegeben war.

III
Ihr, die ihr auftauchen werdet aus der Flut
In der wir untergegangen sind
Gedenkt
Wenn ihr von unseren Schwächen sprecht
Auch der finsteren Zeit
Der ihr entronnen seid.

Gingen wir doch, öfter als die Schuhe die Länder wechselnd
Durch die Kriege der Klassen, verzweifelt
Wenn da nur Unrecht war und keine Empörung.

Dabei wissen wir doch:
Auch der Haß gegen die Niedrigkeit
Verzerrt die Züge.
Auch der Zorn über das Unrecht
Macht die Stimme heiser. Ach, wir
Die wir den Boden bereiten wollten für Freundlichkeit
Konnten selber nicht freundlich sein.

Ihr aber, wenn es so weit sein wird
Daß der Mensch dem Menschen ein Helfer ist
Gedenkt unsrer
Mit Nachsicht.

Die Antwort

Mein junger Sohn fragt mich: Soll ich Mathematik lernen?
Wozu, möchte ich sagen. Daß zwei Stück Brot mehr ist als
    eines
Das wirst du auch so merken.
Mein junger Sohn fragt mich: Soll ich Französisch lernen?
Wozu, möchte ich sagen. Dieses Reich geht unter. Und
Reibe du nur mit der flachen Hand den Bauch und stöhne
Und man wird dich schon verstehen.
Mein junger Sohn fragt mich: Soll ich Geschichte lernen?
Wozu, möchte ich sagen. Lerne du deinen Kopf in die Erde
    stecken
Da wirst du vielleicht übrig bleiben.

Ja, lerne Mathematik, sage ich,
Lerne Französisch, lerne Geschichte!

Über Shakespeares Stück »Hamlet«

In diesem Korpus, träg und aufgeschwemmt
Sagt sich Vernunft als böse Krankheit an
Denn wehrlos unter stahlgeschientem Clan
Steht der tiefsinnige Parasit im Hemd.

Bis sie ihn dann die Trommel hören lassen
Die Fortinbras den tausend Narren rührt
Die er zum Krieg um jenes Ländchen führt
»Zu klein, um ihre Leichen ganz zu fassen«.

Erst jetzt gelingts dem Dicken, rot zu sehn.
Es wird ihm klar, er hat genug geschwankt.
Nun heißt's, zu (blutigen) Taten übergehn.

So daß man finster nickt, wenn man erfährt
»Er hätte sich, wär er hinaufgelangt
Unfehlbar noch höchst königlich bewährt.«

Über Kleists Stück »Der Prinz von Homburg«

O Garten, künstlich in dem märkischen Sand!
O Geistersehn in preußischblauer Nacht!
O Held, von Todesfurcht ins Knien gebracht!
Ausbund von Kriegerstolz und Knechtsverstand!

Rückgrat, zerbrochen mit dem Lorbeerstock!
Du hast gesiegt, doch war's dir nicht befohlen.
Ach, da umhalst nicht Nike dich! Dich holen
Des Fürsten Büttel feixend in den Block.

So sehen wir ihn denn, der da gemeutert
Durch Todesfurcht gereinigt und geläutert
Mit Todesschweiß kalt unterm Siegeslaub.

Sein Degen ist noch neben ihm: in Stücken.
Tot ist er nicht, doch liegt er auf dem Rücken:
Mit allen Feinden Brandenburgs in Staub.

Finnische Landschaft

Fischreiche Wässer! Schönbaumige Wälder!
Birken- und Beerenduft!
Vieltoniger Wind, durchschaukelnd eine Luft
So mild, als stünden jene eisernen Milchbehälter
Die dort vom weißen Gute rollen, offen!
Geruch und Ton und Bild und Sinn verschwimmt.
Der Flüchtling sitzt im Erlengrund und nimmt
Sein schwieriges Handwerk wieder auf: das Hoffen.

Er achtet gut der schöngehäuften Ähre
Und starker Kreatur, die sich zum Wasser neigt
Doch derer auch, die Korn und Milch nicht nährt.
Er fragt die Fähre, die mit Stämmen fährt:
Ist dies das Holz, ohn' das kein Holzbein wäre?
Und sieht ein Volk, das in zwei Sprachen schweigt.

Die Tür

Auf der Flucht vor meinen Landsleuten
Bin ich nun nach Finnland gelangt. Freunde
Die ich gestern nicht kannte, stellten ein paar Betten
In saubere Zimmer. Im Lautsprecher
Höre ich die Siegesmeldungen des Abschaums. Neugierig
Betrachte ich die Karte des Erdteils. Hoch oben in Lappland
Nach dem Nördlichen Eismeer zu
Sehe ich noch eine kleine Tür.

Die Landschaft des Exils

Aber auch ich auf dem letzten Boot
Sah noch den Frohsinn des Frührots im Takelzeug
Und der Delphine graulichte Leiber, tauchend
Aus der Japanischen See.
Und die Pferdewäglein mit dem Goldbeschlag
Und die rosa Armschleier der Matronen
In den Gassen des gezeichneten Manila
Sah auch der Flüchtling mit Freude.
Die Öltürme und dürstenden Gärten von Los Angeles
Und die abendlichen Schluchten Kaliforniens und die
    Obstmärkte
Ließen auch den Boten des Unglücks
Nicht kalt.

Zum Freitod des Flüchtlings W. B.*

Ich höre, daß du die Hand gegen dich erhoben hast
Dem Schlächter zuvorkommend.
Acht Jahre verbannt, den Aufstieg des Feindes beobachtend
Zuletzt an eine unüberschreitbare Grenze getrieben
Hast du, heißt es, eine überschreitbare überschritten.

Reiche stürzen. Die Bandenführer
Schreiten daher wie Staatsmänner. Die Völker
Sieht man nicht mehr unter den Rüstungen.

So liegt die Zukunft in Finsternis, und die guten Kräfte
Sind schwach. All das sahst du
Als du den quälbaren Leib zerstörtest.

Nachdenkend über die Hölle

Nachdenkend, wie ich höre, über die Hölle
Fand mein Bruder Shelley, sie sei ein Ort
Gleichend ungefähr der Stadt London. Ich
Der ich nicht in London lebe, sondern in Los Angeles
Finde, nachdenkend über die Hölle, sie muß
Noch mehr Los Angeles gleichen.

Auch in der Hölle
Gibt es, ich zweifle nicht, diese üppigen Gärten
Mit den Blumen, so groß wie Bäume, freilich verwelkend
Ohne Aufschub, wenn nicht gewässert mit sehr teurem Wasser.
      Und Obstmärkte
Mit ganzen Haufen von Früchten, die allerdings

* W. B.: Walter Benjamin nahm, auf der Flucht vor den Schergen Hitlers, in der Nacht vom 26. auf 27. September 1940 Gift ein. – *Anm. des Verlages.*

Weder riechen noch schmecken. Und endlose Züge von Autos
Leichter als ihr eigener Schatten, schneller als
Törichte Gedanken, schimmernde Fahrzeuge, in denen
Rosige Leute, von nirgendher kommend, nirgendhin fahren.
Und Häuser, für Glückliche gebaut, daher leerstehend
Auch wenn bewohnt.

Auch die Häuser in der Hölle sind nicht alle häßlich.
Aber die Sorge, auf die Straße geworfen zu werden
Verzehrt die Bewohner der Villen nicht weniger als
Die Bewohner der Baracken.

Hollywood

Jeden Morgen, mein Brot zu verdienen
Gehe ich auf den Markt, wo Lügen gekauft werden.
Hoffnungsvoll
Reihe ich mich ein zwischen die Verkäufer.

Die Maske des Bösen

An meiner Wand hängt ein japanisches Holzwerk
Maske eines bösen Dämons, bemalt mit Goldlack.
Mitfühlend sehe ich
Die geschwollenen Stirnadern, andeutend
Wie anstrengend es ist, böse zu sein.

Vom Sprengen des Gartens

O Sprengen des Gartens, das Grün zu ermutigen!
Wässern der durstigen Bäume! Gib mehr als genug. Und
Vergiß nicht das Strauchwerk, auch

Das beerenlose nicht, das ermattete
Geizige! Und übersieh mir nicht
Zwischen den Blumen das Unkraut, das auch
Durst hat. Noch gieße nur
Den frischen Rasen oder den versengten nur:
Auch den nackten Boden erfrische du.

Rückkehr

Die Vaterstadt, wie find ich sie doch?
Folgend den Bomberschwärmen
Komm ich nach Haus.
Wo denn liegt sie? Wo die ungeheueren
Gebirge von Rauch stehn.
Das in den Feuern dort
Ist sie.

Die Vaterstadt, wie empfängt sie mich wohl?
Vor mir kommen die Bomber. Tödliche Schwärme
Melden euch meine Rückkehr. Feuersbrünste
Gehen dem Sohn voraus.

Tagesanbruch

Nicht umsonst
Wird der Anbruch jeden neuen Tages
Eingeleitet durch das Krähen des Hahns
Anzeigend seit alters
Einen Verrat.

Lektüre ohne Unschuld

In seinen Tagebüchern der Kriegszeit
Erwähnt der Dichter Gide einen riesigen Platanenbaum
Den er bewundert – lange – wegen seines enormen Rumpfes
Seiner mächtigen Verzweigung und seines Gleichgewichts
Bewirkt durch die Schwere seiner wichtigsten Äste.

Im fernen Kalifornien
Lese ich kopfschüttelnd diese Notiz.
Die Völker verbluten. Kein natürlicher Plan
Sieht ein glückliches Gleichgewicht vor.

Bei der Nachricht von der Erkrankung eines mächtigen Staatsmanns

Wenn der unentbehrliche Mann die Stirn runzelt
Wanken zwei Weltreiche.
Wenn der unentbehrliche Mann stirbt
Schaut die Welt sich um wie eine Mutter, die keine Milch für
    ihr Kind hat.
Wenn der unentbehrliche Mann eine Woche nach seinem Tod
    zurückkehrte
Fände man im ganzen Reich für ihn nicht mehr die Stelle
    eines Portiers.

Ich, der Überlebende

Ich weiß natürlich: einzig durch Glück
Habe ich so viele Freunde überlebt. Aber heute nacht im
    Traum
Hörte ich diese Freunde von mir sagen: »Die Stärkeren
    überleben«
Und ich haßte mich.

Briefe über Gelesenes
(Horazens Episteln, Buch 2, Epistel 1)

I

Hütet euch, ihr
Die ihr den Hitler besingt! Ich
Der die Züge des Mai und Oktober
Am Roten Platze gesehen habe und die Inschriften
Ihrer Transparente und am Pazifischen Meer
Auf dem Roosevelt-Highway die donnernden
Ölzüge und Lastwägen, beladen mit
Fünf Autos übereinander, weiß
Daß er bald sterben wird und sterbend
Seinen Ruhm überlebt haben wird, aber
Selbst wenn er die Erde unbewohnbar
Machte, indem er sie
Eroberte, könnte kein Lied
Ihn besingend, bestehn. Freilich erstirbt
Allzurasch der Schmerzensschrei auch ganzer
Kontinente, als daß er das Loblied
Des Peinigers ersticken könnte. Freilich
Haben auch die Besinger der Untat
Wohllautende Stimmen. Und doch
Gilt der Gesang des sterbenden Schwanes am schönsten: er
Singt ohne Furcht.

In dem kleinen Garten von Santa Monika
Lese ich unter dem Pfefferbaum
Lese ich beim Horaz von einem gewissen Varius
Der den Augustus besang, das heißt, was das Glück, seine
    Feldherrn
Und die Verderbtheit der Römer für ihn getan. Nur kleine
    Fragmente
Abgeschrieben im Werk eines andern, bezeugen
Große Verskunst. Sie lohnte nicht
Die Mühe längeren Abschreibens.

II
Mit Vergnügen lese ich
Wie Horaz die Entstehung der Saturnischen Verskunst
Zurückführt auf die bäurischen Schwänke
Welche die größten Häuser nicht schonten, bis
Die Polizei boshafte Lieder verbot, wodurch
Die Schmähenden gezwungen wurden
Edlere Kunst zu entwickeln und mit
Feineren Versen zu schmähen. So wenigstens
Verstehe ich diese Stelle.

Einst

Einst schien dies in Kälte leben wunderbar mir
Und belebend rührte mich die Frische
Und das Bittre schmeckte, und es war mir
Als verbliebe ich der Wählerische
Lud die Finsternis mich selbst zu Tische.

Frohsinn schöpfte ich aus kalter Quelle
Und das Nichts gab diesen weiten Raum.
Köstlich sonderte sich seltne Helle
Aus natürlich Dunklem. Lange? Kaum.
Aber ich, Gevatter, war der Schnelle.

Epitaph für M.

Den Haien entrann ich
Die Tiger erlegte ich
Aufgefressen wurde ich
Von den Wanzen.

Wahrnehmung

Als ich wiederkehrte
War mein Haar noch nicht grau
Da war ich froh.

Die Mühen der Gebirge liegen hinter uns
Vor uns liegen die Mühen der Ebenen.

An meine Landsleute

Ihr, die ihr überlebtet in gestorbenen Städten
Habt doch nun endlich mit euch selbst Erbarmen!
Zieht nun in neue Kriege nicht, ihr Armen
Als ob die alten nicht gelanget hätten:
Ich bitt euch, habet mit euch selbst Erbarmen!

Ihr Männer, greift zur Kelle, nicht zum Messer!
Ihr säßet unter Dächern schließlich jetzt
Hättet ihr auf das Messer nicht gesetzt
Und unter Dächern sitzt es sich doch besser.
Ich bitt euch, greift zur Kelle, nicht zum Messer!

Ihr Kinder, daß sie euch mit Krieg verschonen
Müßt ihr um Einsicht eure Eltern bitten.
Sagt laut, ihr wollt nicht in Ruinen wohnen
Und nicht das leiden, was sie selber litten:
Ihr Kinder, daß sie euch mit Krieg verschonen!

Ihr Mütter, da es euch anheimgegeben
Den Krieg zu dulden oder nicht zu dulden
Ich bitt euch, lasset eure Kinder leben!
Daß sie euch die Geburt und nicht den Tod dann schulden:
Ihr Mütter, lasset eure Kinder leben!

Sprüche

I

Als ich mich herumgetrieben
Habe ich nichts aufgeschrieben
Weiß nicht, wo mein Hut geblieben
Weiß nicht, wo die vorigen sieben.

II

Traue nicht deinen Augen
Traue deinen Ohren nicht
Du siehst Dunkel
Vielleicht ist es Licht.

Kinderhymne

Anmut sparet nicht noch Mühe
Leidenschaft nicht noch Verstand
Daß ein gutes Deutschland blühe
Wie ein andres gutes Land.

Daß die Völker nicht erbleichen
Wie vor einer Räuberin
Sondern ihre Hände reichen
Uns wie andern Völkern hin.

Und nicht über und nicht unter
Andern Völkern wolln wir sein
Von der See bis zu den Alpen
Von der Oder bis zum Rhein.

Und weil wir dies Land verbessern
Lieben und beschirmen wir's
Und das liebste mag's uns scheinen
So wie andern Völkern ihrs.

Das Theater des neuen Zeitalters

Das Theater des neuen Zeitalters
Ward eröffnet, als auf die Bühne
Des zerstörten Berlin
Der Planwagen der Courage rollte.
Ein und ein halbes Jahr später
Im Demonstrationszug des 1. Mai
Zeigten die Mütter ihren Kindern
Die Weigel und
Lobten den Frieden.

Auf einen chinesischen Theewurzellöwen

Die Schlechten fürchten deine Klaue.
Die Guten freuen sich deiner Grazie.
Derlei
Hörte ich gern
Von meinem Vers.

Deutschland 1952

O Deutschland, wie bist du zerrissen
Und nicht mit dir allein!
In Kält' und Finsternissen
Läßt eins das andre sein.
Und hätt'st so schöne Auen
Und reger Städte viel;
Tät'st du dir selbst vertrauen
Wär alles Kinderspiel.

Der Radwechsel

Ich sitze am Straßenhang.
Der Fahrer wechselt das Rad.
Ich bin nicht gern, wo ich herkomme.
Ich bin nicht gern, wo ich hinfahre.
Warum sehe ich den Radwechsel
Mit Ungeduld?

Der Blumengarten

Am See, tief zwischen Tann und Silberpappel
Beschirmt von Mauer und Gesträuch ein Garten
So weise angelegt mit monatlichen Blumen
Daß er vom März bis zum Oktober blüht.

Hier, in der Früh, nicht allzu häufig, sitz ich
Und wünsche mir, auch ich mög allezeit
In den verschiedenen Wettern, guten, schlechten
Dies oder jenes Angenehme zeigen.

Die Lösung

Nach dem Aufstand des 17. Juni
Ließ der Sekretär des Schriftstellerverbands
In der Stalinallee Flugblätter verteilen
Auf denen zu lesen war, daß das Volk
Das Vertrauen der Regierung verscherzt habe
Und es nur durch verdoppelte Arbeit
Zurückerobern könne. Wäre es da
Nicht doch einfacher, die Regierung
Löste das Volk auf und
Wählte ein anderes?

Böser Morgen

Die Silberpappel, eine ortsbekannte Schönheit
Heut eine alte Vettel. Der See
Eine Lache Abwaschwasser, nicht rühren!
Die Fuchsien unter dem Löwenmaul billig und eitel.
Warum?
Heut nacht im Traum sah ich Finger, auf mich deutend
Wie auf einen Aussätzigen. Sie waren zerarbeitet und
Sie waren gebrochen.

Unwissende! schrie ich
Schuldbewußt.

Heißer Tag

Heißer Tag. Auf den Knien die Schreibmappe
Sitze ich im Pavillon. Ein grüner Kahn
Kommt durch die Weide in Sicht. Im Heck
Eine dicke Nonne, dick gekleidet. Vor ihr
Ein ältlicher Mensch im Schwimmanzug, wahrscheinlich ein
      Priester.
An der Ruderbank, aus vollen Kräften rudernd
Ein Kind. Wie in alten Zeiten! denke ich
Wie in alten Zeiten!

Der Rauch

Das kleine Haus unter Bäumen am See.
Vom Dach steigt Rauch.
Fehlte er
Wie trostlos dann wären
Haus, Bäume und See.

Eisen

Im Traum heute nacht
Sah ich einen großen Sturm.
Ins Baugerüst griff er
Den Bauschragen riß er
Den eisernen, abwärts.
Doch was da aus Holz war
Bog sich und blieb.

Tannen

In der Frühe
Sind die Tannen kupfern.
So sah ich sie
Vor einem halben Jahrhundert
Vor zwei Weltkriegen
Mit jungen Augen.

Rudern, Gespräche

Es ist Abend. Vorbei gleiten
Zwei Faltboote, darinnen
Zwei nackte junge Männer: Nebeneinander rudernd
Sprechen sie. Sprechend
Rudern sie nebeneinander.

Beim Lesen des Horaz

Selbst die Sintflut
Dauerte nicht ewig.
Einmal verrannen
Die schwarzen Gewässer.
Freilich, wie Wenige
Dauerten länger!

Laute

Später, im Herbst
Hausen in den Silberpappeln große Schwärme von Krähen
Aber den ganzen Sommer durch höre ich
Da die Gegend vogellos ist
Nur Laute von Menschen rührend.
Ich bin's zufrieden.

Lehrer, lerne!

Sag nicht zu oft, du hast recht, Lehrer!
Laß es den Schüler erkennen!
Strenge die Wahrheit nicht allzu sehr an:
Sie verträgt es nicht.
Höre beim Reden!

Frage

Wie soll die große Ordnung aufgebaut werden
Ohne die Weisheit der Massen? Unberatene
Können den Weg für die vielen
Nicht finden.

Ihr großen Lehrer
Wollet hören beim Reden!

Lied vom Glück

Das Schiff läuft durch die Flut
Der Schiffer träumt vom Land
Er sieht viel goldene Häuser stehn
Am blassen Himmelsrand.
 Bewacht die Feuer im Kessel
 Steuert und rechnet gut
 Daß ihr durch alle die Stürme
 Kommt über alle die Flut!

Und wie der Schiffer träumt
Von einer guten Stadt
So wissen wir, daß jedes Meer
Doch eine Küste hat.
 Drum rührt geschäftig die Hände
 Legt euer Herz hinein
 Will doch das Glück erst erkämpft sein
 Kommt es doch nicht von allein.

Die Arbeit ist nicht Fluch
Für die nicht Sklaven sind
Ist Milch und Tuch und Schuh und Buch
Und wie dem Segler Wind.

Das Werk, es will euch beschenken
Ruft euch und ist bereit
Müßt für es schaffen und denken
Daß es euch wächst und gedeiht.

Das Kind liegt in der Wiegn
Es ruft zur Mittagstund
Muß Milch und Weißbrot kriegn
Da wird es groß und rund.
    Das Kind, es kann nicht klein bleiben
    Auch wenn es selber wollt
    Das ist, warum es so laut ruft
    Daß ihr ihm Milch geben sollt.

Der Setzling wird ein Baum.
Der Grundstein wird ein Haus.
Und haben wir erst Haus und Baum
Wird Stadt und Garten draus.
    Und weil uns unsere Mütter
    Nicht für das Leid geborn
    Haben wir alle gemeinsam
    Glücklich zu leben geschworn.

Um das Leben zu schätzen

1

Nicht in die Schlacht wirf
Feldherr, alle! Einige
Laß das Fleisch einholen
Und wenn
Einer dir in den Himmel schaut:
Auch dann
Schaff uns den Sieg!

2

Am Abend nach der Schlacht –
Es war alles verloren –
Zeigte ein Soldat dem großen Alexander
Ihn am Leben zu halten
Eine Wachtel im Gesträuch.

Um das Leben zu schätzen
Meinte der Soldat
Genügt ein Stück Käse.

3

Ohne zu rechnen
Die gelben frühen, neugedruckten Bücher
Das Autofahren, Fliegen, Blumenpflanzen
Die abendlichen Berge, nicht gesehenen Städte
Die Männer, die Frauen.

An die Studenten im wiederaufgebauten Hörsaal der Universität

1

Daß ihr hier sitzen könnt: So manche Schlacht
Wurd drum gewagt. Ihr mögt sie gern vergessen.
Nur wißt: Hier haben andre schon gesessen
Die saßen über Menschen dann. Gebt acht!

2

Was immer ihr erforscht einst und erfindet
Euch wird nicht nützen, was ihr auch erkennt
So es euch nicht zu klugem Kampf verbindet
Und euch von allen Menschenfeinden trennt.

3
Vergeßt nicht: mancher euresgleichen stritt
Daß ihr hier sitzen könnt und nicht mehr sie.
Und nun vergrabt euch nicht und kämpfet mit
Und lernt das Lernen und verlernt es nie!

Ich benötige keinen Grabstein

Ich benötige keinen Grabstein, aber
Wenn ihr einen für mich benötigt
Wünschte ich, es stünde darauf:
Er hat Vorschläge gemacht. Wir
Haben sie angenommen.
Durch eine solche Inschrift wären
Wir alle geehrt.

Das Gewächshaus

Erschöpft vom Wässern der Obstbäume
Betrat ich neulich das kleine aufgelassene Gewächshaus
Wo im Schatten der brüchigen Leinwand
Die Überreste der seltenen Blumen liegen.

Noch steht aus Holz, Tuch und Blechgitter
Die Apparatur, noch hält der Bindfaden
Die bleichen verdursteten Stengel hoch
Vergangener Tage Sorgfalt
Ist noch sichtbar, mancher Handgriff. Am Zeltdach
Schwankt der Schatten der billigen Immergrüne
Die vom Regen lebend nicht der Kunst bedürfen.
Wie immer die schönen Empfindlichen
Sind nicht mehr.

Vergnügungen

Der erste Blick aus dem Fenster am Morgen
Das wiedergefundene alte Buch
Begeisterte Gesichter
Schnee, der Wechsel der Jahreszeiten
Die Zeitung
Der Hund
Die Dialektik
Duschen, Schwimmen
Alte Musik
Bequeme Schuhe
Begreifen
Neue Musik
Schreiben, Pflanzen
Reisen
Singen
Freundlich sein.

Gegenlied zu »Von der Freundlichkeit der Welt«

Soll das heißen, daß wir uns bescheiden
Und »so ist es und so bleib es« sagen sollen?
Und die Becher sehend, lieber Dürste leiden
Nach den leeren greifen sollen, nicht den vollen?

Soll das heißen, daß wir draußen bleiben
Ungeladen in der Kälte sitzen müssen
Weil da große Herrn geruhn, uns vorzuschreiben
Was da zukommt uns an Leiden und Genüssen?

Besser scheint's uns doch, aufzubegehren
Und auf keine kleinste Freude zu verzichten
Und die Leidenstifter kräftig abzuwehren
Und die Welt uns endlich häuslich einzurichten!

Dauerten wir unendlich

Dauerten wir unendlich
So wandelte sich alles
Da wir aber endlich sind
Bleibt vieles beim Alten.

Nachwort von Walter Jens

Jedes Jahr eine neue Dissertation, die sich mit der Theorie des epischen Theaters beschäftigt. Jedes Jahr eine Podiumsdiskussion: Brecht als Dichter, Brecht als Kommunist. Jedes Jahr eine Biographie: Beschreibung des Wegs von Augsburg nach Berlin. In den Seminaren wird die *Courage* verzettelt; zergliedert ist der *Galilei*. Wer aber dem Meister vieler Formen, dem Epiker, Lyriker, Dramatiker Brecht nachspürt, findet sich auf verlassenem Feld. *Die Geschäfte des Herrn Julius Caesar*, eine geistreich-grimmige Börseaner-Satire, hat die Forschung kaum zur Kenntnis genommen – und das, wer weiß, vielleicht zu Recht. Im Unterschied zu Hofmannsthal, dem anderen großen Schriftsteller dieses Jahrhunderts, der souverän über die Gattungen verfügte, war Brecht zu allerletzt ein Romancier. Die beherrschende Form des spätbürgerlichen Zeitalters mochte ihm zu wenig traktathaft, zu gemächlich, nicht recht zur Didaktik und imperativischen Belehrung geeignet erscheinen. Das Element des Epischen war für den Stückeschreiber nun einmal mit dem Theater verknüpft; eine ironische Ballade wie der *Caesar* konnte allenfalls als Intermezzo dienen. (Besucher: »Wann werden Sie Ihren *Caesar* zu Ende führen?« Brecht: »Wenn Ihr mir das Theaterspielen endgültig verleidet habt.«)

Anders die Lyrik. Sie steht im Zentrum des Brecht'schen œuvres – und ist doch, sieht man von bedeutungsvollen Winken Hans Mayers ab, bisher recht stiefmütterlich behandelt worden. Gewiß, es gibt erstaunliche Paraphrasen, Walter Benjamins Kommentare eines kanonischen Texts und Ernst Blochs wahrhaft genialische Interpretation des Seeräuber-Jenny-songs: ein theologischer Schalkstraktat von höchstem Rang. Es gibt Nachzeichnungen aus politischer Sicht: Hannah Arendt oder Paul Rilla. Es gibt Hymnen und es gibt jenen Vergleich zwischen Brecht und Horst Wessel, mit dessen Hilfe es einem Minister gelang, die Brücke zu Wilhelms II. Reden über die Kunst zu schlagen. (Und das will etwas heißen.) Eine sachlich umfassende Deutung des Lyrikers B. B. steht immer noch aus: deshalb kann dieses Nachwort nichts anderes tun, als ein paar Steinchen ins Dunkel zu werfen.

2

Das Bild ist vielfältig, widersprüchlich, gebrochen. Zunächst erscheint ein Vagant im Spiegel, frech und dreist – Brecht, der Balladensänger mit der Laute. Hier wird von Baal gesungen, von der Einsamkeit unter riesig-violetten Himmeln, von der verlorenen Kreatur und dem Wind, der durch alles hindurchgeht, von der feindlichen See und den wilden Matrosen, von Abenteuern und Desperados, vom Feueratem der Städte und von jenem höchsten, ersten und letzten Gebot, das da lautet: Mensch, behaupte dich.

Kein Zweifel, der Mann mit der Laute, ein bayerischer Bänkelsänger, ist zynisch und aggressiv. Er hat dem Volk aufs Maul geschaut; aber er kennt auch die leisen Winke, mit denen sich die Mächtigen verständigen: das macht ihn gefährlich. Er ist ein Grenzgänger, in zweierlei Reichen zu Hause, hat die Klasse gewechselt. *(Verjagt mit gutem Grund.)* Sein innigster Wunsch: das Gelernte zu entzaubern, Tabus zu entschleiern, den Dingen ins Gesicht zu sehen. Die Technik: das bisher Verborgene durch Übertreibung, das Übertünchte durch schockierende Transposition sichtbar zu machen. Börsenjobber sprechen Schillersche Verse, handfeste Reime, einer Karschin würdig, rücken dem *Prinzen von Homburg* zu Leibe: in jedem Fall wird der Leser aufmerksam, spürt die Diskrepanz zwischen Form und sujet, hält inne: der erste Schritt, der zur Entzifferung des Palimpsests führt, ist getan.

Muntere Entzauberung, zynisch-fröhliche Entlarvung der geschminkten Pest; Baalswelt und carpe diem; Aasgeruch und »nach uns die Sinflut«, Fäulnis und Verwesung; das ist die Welt des frühen Brecht. Aber das Antlitz eines Entlaufenen, der, halb Anatomie-Diener, halb Karl-Valentin-Schüler, mit ein paar witzigen Hieben dem Bürger die Maske vom Kopf schlägt, verwandelt sich schnell. Die Ikonographie lehrt, daß die Klugheit zwei Gesichter hat: eins, das jung und herzhaft-entschlossen und eins, das weise und still ist. Auch Brecht hatte, wie die mittelalterlichen sapientia-Portraits, zwei sehr verschiedene Masken. Früh schon, in den zwanziger Jahren, wird der rüde Ton leise und zart. Die Verbannung später gibt den Versen eine sanfte Schärfe. Neue Ideale, neue Schlüssel-worte kommen auf: Weisheit, Freundlichkeit. Die Lyrik zeigt den verwandelten Blick: wie anders erscheint nun die be-schriebene Welt – nicht mehr das city-Pathos der roaring twenties, Wolkenkratzer, slums und gentlemen mit nuggets in den Taschen, nicht mehr Lokomotiven und rußige Essen, nicht mehr die Baal-Scenerie, Tang, Algen, Zersetzung und Spülicht, nicht mehr die Totenwelt Heyms, Trakls und Benns, sondern Beschwörung der kleinen Dinge, des Aprikosenbaums, des Strohdachs, des Netzes: die Pionier-Attitüde ist vorsichtig und bescheiden geworden, dem Überschaubaren, Ruder und Rauch, Garten und Blume gilt am Ende eine verständige Be-trachtung.

Das kleine Haus unter Bäumen am See
Vom Dach steigt Rauch.
Fehlte er
Wie trostlos dann wären
Haus, Bäume und See.

Wohlgemerkt, das ist keine Idylle; hier wird nicht vom ein-fachen Leben gepredigt. Hier denkt jemand nach und zeigt seinen Lesern: gebt acht, was ist die Natur ohne den Men-schen? Hinwendung zu den kleinen einfachen Dingen, das be-deutet für Brecht: Humanisierung. Nicht die Wildnis, sondern der Garten, nicht Steppe und Meer, Mahagonny-Romantik und Matrosen-Seligkeit, sondern das menschlich-Domesti-zierte, der Natur Abgerungene, Parzelle und Kolchos, be-wässerte Öde und überwundene Dürre sind sujets der späten

Lyrik. Von jenem seltsamen fremd-vertrauten Verhältnis, in dem der Mensch der Baals-Welt, asozial und rebellisch, zur Natur stand: von der unio mystica des Ausgestoßenen ist später kaum noch die Rede. (»Einst floß Wasser durch ihn durch und Tiere sind verschwunden in ihm«; »ein Fisch ist jetzt durch uns geschwommen.«) Gerade die Ersetzung der kosmischen Chiffren »Himmel«, »Wind«, »Wasser« durch Vokabeln wie »Weisheit« und »Freundlichkeit« zeigt die Veränderung. Fast scheint es, als blickte der späte Brecht ein wenig spöttisch auf jene Epoche zurück, in der er die Natur als gleichberechtigten Mitspieler, ganz anthropomorph, und nicht als behandelbares Objekt vorgeführt hatte: »Der warme Wind«, heißt es ein wenig sarkastisch im ersten Psalm, »bemüht sich noch um Zusammenhänge, der Katholik.«

3

Der frühe Brecht sang vor sich hin; seine Gedichte sind freche Monologe, einem Kreis von Freunden mitgeteilt: der Mann mit der Laute begleitet sich selbst. Der späte Brecht hingegen belehrte selbst da noch, wo er, scheinbar ins Anschaun versunken, die Anmut einer Pflanze beschrieb. Jede Zeile sucht ihr Du, Imperative prägen die Strophen, Fragen sind die stärksten Befehle. »Zweifel« ist die zentrale Vokabel der Emigration, als ihr Archetypus erscheint der Chinese im blauen Mantel, Brechts treuer Begleiter in jenen Jahren der größten Einsamkeit, da der Flüchtige das Gebot der Solidarität am innigsten beschwor:

O Fahne der Arbeiterschaft
in der Altstadt von Kopenhagen.

In einem Augenblick, als das Exil die Meditation begünstigte (wie viel Pascal war in Brecht verborgen), während die politische Lage mehr denn je die kämpferische Tat verlangte, wurde die schon in den *Lehrstücken* angedeutete Antinomie von Theorie und Praxis, Betrachtung und Aktion zum bestimmenden Lebensproblem.

Wie verlockend die Möglichkeit, »gut« und »freundlich« zu bleiben, den Haß, das anstrengende Bösesein, zu vergessen, sich mit dem Blick auf Ruder, Schaukel, Apfelbaum zu begnügen und, in einer Haltung würdiger Gelassenheit, das dämonische Spiel jenseits der Grenzen nicht zu beachten! Man muß die Größe der Versuchung bedacht haben, wenn man die künstlerische Leistung ermessen will, die der von Land zu Land Gejagte in zwölf Jahren vollbrachte. Die Diskrepanz zwischen der Idyllik seiner Verstecke und der Mordscenerie überall, die Notwendigkeit, über den Apfelbaum schweigen zu müssen und nur das Entsetzen ausdrücken zu dürfen, das den Gehetzten ergriff, wenn er die Reden des Anstreichers las... all dies gibt den Gedichten von nun an eine unverkennbare Nuance, verleiht ihnen einen Hauch von Resignation und sehr zarter Müdigkeit, der von nun an aus der Brechtschen Lyrik nicht mehr fortzudenken ist: »Ich sitze am Straßenrand«, heißt es 1953, »Der Fahrer wechselt das Rad. Ich bin nicht gern, wo ich herkomme. Ich bin nicht gern, wo ich hinfahre. Warum sehe ich den Radwechsel mit Ungeduld?«

Hat man ihn nicht allzulange überhört, diesen klagenden, wie aus großer Entfernung kommenden Ton der Exilzeit? Wie hier jemand innehält, sich noch einmal, in der Sekunde des Abschieds, der Schönheit vergewissert, der Weisheit gedenkt und der Freundlichkeit zuwinkt, ehe er das schöne Gesicht des Glücklichen eintaucht in die Näpfe des Hasses, des Zorns auf alle Niedrigkeit, die sein Gesicht verzerren wird! Wie beschwörend zeigt Brecht auf das Bild des Laotse: auch er freundlich, auch er gütig, auch er ein Wissender, auch er, in glücklicheren Tagen, ein Helfer jener kleinen Leute, deren Anwalt Brecht, in »guten und in schlechten Zeiten für Lyrik«, seit seiner ›Konversion‹ am Ausgang der zwanziger Jahre immer gewesen ist.

4

Arme und Reiche, Kleine und Große, Getretene und Unterdrücker – das ist die Welt, wie Brecht sie sah, das ist der sich langsam wandelnde Raum, in dessen Grenzen die Besiegten von heute zu den Siegern von morgen, die Beherrschten zu Herrschern, die Zwerge zu Riesen werden. Keine Partialhilfen, kein Heilsarmeepflaster, kein Mitleid und keine Mildtätigkeit, kein »Revisionismus«, sondern die sich logisch und mit prozessualer Exaktheit vollziehende Revolution wird, nach der Auffassung Brechts, den Planeten für immer verändern – aber die Sieger sollen die Sanftmütigen sein, Menschen die den Knoten knüpfen, nicht solche, die ihn zerhauen! Brecht haßte martialische Töne; die brutale Konsequenz hat er niemals verherrlicht; nach Bilderbuchproleten sucht man in seiner Lyrik vergebens. Stattdessen: schlaue Mägde, wißbegierige Zöllner, kundige Fischweiber, listige Köche. Die Gedichte entwerfen, wieder und wieder und oft genug zwischen den Zeilen, das freundliche Idealbild eines Menschen, dessen Stärke in seiner behenden Schläue und wendigen Umsicht liegt. Die Brecht'schen Helden haben alle einen Zug von davidischer Anmut; es sind Leichtbewaffnete, niemals Hopliten. Sie passen sich an und haben gelernt, sich im Provisorischen (»Das Haus hat vier Türen, daraus zu fliehen«) einzurichten. Sie sagen niemals »so und nicht anders«, »heute wie morgen«, sondern stellen sich ein und rechnen mit Veränderungen: Athener, keine Spartaner. Sie wissen, daß sie sterblich sind, suchen ihre Alter nicht zu verbergen und gerade ihre Vergänglichkeit macht sie groß. Sind sie die späten Gegenspieler Baals: weniger ungeschlacht und genialisch-tumb, sehr agil, Kinder der fröhlich-leichten Vernunft? So sehr man sie jagt – sie schlüpfen hindurch, die Maschen der Verfolger spannen sich zu weit, Goliaths Arm wird unterlaufen. Während das Schwere, scheinbar für Ewigkeiten Gegründete leichthin zerfällt, verstehen sie, sich zu behaupten.

Im Traum heute nacht
Sah ich einen großen Sturm.
Ins Baugerüst griff er
Den Bauschragen riß er
Den eisernen, abwärts.
Doch was da aus Holz war
Bog sich und blieb.

5

Den kleinen Leuten, den listig Verständigen, um Vergänglichkeit Wissenden gelten die Befehle: Imperativ und Frage,
die grammatikalischen Grundformen Brecht'scher Gedichte.
Ob Epigramm oder Ballade, Parabel, Volkslied oder Pamphlet, ob Persiflage oder Spruch: es werden, sieht man von
den ersten Jahren ab, in jedem Fall Lehren erteilt, Nutz-
anwendungen gezogen, Fragen aufgeworfen, die dann der
Adressat beantworten mag. Einerlei, ob eine Strophe hinzu-
gedichtet *(Der Schneider von Ulm)* oder zwischen zwei Mög-
lichkeiten entschieden werden muß *(Die Nachtlager)* – Brecht
rechnet in jedem Fall mit dem hellen Kopf seiner Leser. Deshalb verwendet er auch so gern das Partizipium praesentis
(»Das partizipium praesentis sollte nur jemand gebrauchen,
der wie ich eine Eins in Latein hatte«) – hier muß das logische
Verhältnis zwischen Haupt- und Nebensatz erst analysiert
werden. Adversativ, kausal, temporal? Der Leser strenge sich
an, stelle die richtige Verbindung her, gebe dem Vieldeutig-
Schillernden logische Evidenz.
Kein Zweifel, daß Brecht bei solchen Manipulationen sein
Publikum nicht selten überschätzt hat; Verfremdungseffekte
werden nun einmal nur von kritischen Zweiflern, nicht von
gehorsamen Dienern verstanden. (Wenn es um Logik geht,
kommt man mit Funktionärsapplaus nicht recht zum Ziel.)
Gerade die fausse naïveté der Brecht'schen Gedichte, die
scheinbare Simplizität dieser Strophen, ist häufig schwerer
zu entschlüsseln als die Dunkelheit eines Gedichts, das seinen

Tiefsinn offen eingesteht und ihn nicht raffiniert zu tarnen versucht. Bei Brecht hingegen gilt es nicht minder behutsam als im Fall Hemingway ans Werk zu gehen; denn was auf den ersten Blick als »realistisch« erscheint, erweist sich bei genauerem Hinsehen als Stil, Manier und Abstraktion. Da treten, in schockierender Weise, Elemente aus ganz verschiedenen Ebenen unverbunden, durch keinen Absatz, keine Konjunktion getrennt, nebeneinander; da dominieren höchst ungewöhnliche grammatikalische Konstruktionen, das Zeugma ermöglicht witzige Pointen, die Inkonzinnität zerstört gewaltsam alle erwarteten Parallelismen: »Den Tigern entrann ich / Die Wanzen ernährte ich / Aufgefressen wurde ich / von den Mittelmäßigkeiten.«* (Hatte man nicht fest mit einem Tier gerechnet?) Scheinbar absichtslos, gelangweilt beinahe, reiht der Lyriker Brecht immer wieder Sätze aneinander, zwischen denen der Leser, um den Text überhaupt zu verstehen, erst Scharniere einfügen muß. Wie Hemingway arbeitet er am liebsten mit Verkürzungen (»Und das große Feuer in Soho / Sieben Kinder und ein Greis –«), mit stilistischen Verknappungen und Abbreviaturen von solcher Kühnheit, daß der ausgelassene Kontext den Umfang des Niedergeschriebenen aufwiegt. (Wie diffizil dann die Auslegungen sind, hat Walter Benjamin an dem Gedicht *Das Kind, das sich nicht waschen wollte* gezeigt.) Ein Beispiel:

Es ist Nacht. Die Ehepaare
Legen sich in die Betten. Die jungen Frauen
Werden Waisen gebären.

Zwischen dem zweiten und dem dritten Satz klafft ein Riß; der Zusammenhang muß durch den Leser hergestellt werden; es ist zu ergänzen: in dieser Nacht war Krieg. (Oder: Krieg steht bevor.) Der Vater, der das Kind gezeugt hat, wird die

* Ursprüngliche Fassung des Gedichts »Epitaph für M.« (Anm. d. Vlg.)

Geburt nicht erleben. Er fällt im Krieg. – Ein zweites Beispiel:

Aus den Bücherhallen
Treten die Schlächter.
Die Kinder an sich drückend
Stehen die Mütter und durchforschen entgeistert
Den Himmel nach den Erfindungen der Gelehrten.

Der erste Satz ist zunächst unverständlich: Schlächter in
Bücherhallen, was soll's? Auch der zweite Satz verweigert
eine Antwort auf die ihm zugeworfene Frage: was haben die
ängstlich starrenden Mütter mit den Schlächtern, was hat der
Himmel mit den Bücherhallen zu tun? Genaueres Bedenken
erst ermöglicht die Gleichung Schlächter = Gelehrte, stellt
das rechte Verhältnis von Ursache und Wirkung ins Licht und
ordnet die Dinge in zeitlicher Folge: Gelehrte sind zu Schlächtern geworden, weil sie in ihren Studierstuben Erfindungen
machten, die jede Mutter fürchten muß: Bomben von schreck-
licher Gewalt. –
Man sieht, auch hier müssen Glieder ergänzt werden; auch
hier ist das scheinbar Einfache höchst raffiniert erschwert
worden, wie die Vorwegnahme des erst später deutbaren
Wortes »Schlächter« zeigt. Um des schockierenden Zusam-
menstoßes der Vokabeln »Schlächter« und »Bücherhallen«
willen gibt Brecht den sinnfälligen Kausalzusammenhang
preis, weil er weiß, daß erst die eigene Konstruktion des
Lesers das Gedicht wirklich begreifbar macht. Deshalb scheut
er auch keine Anstrengungen, um sein Publikum zu erschrek-
ken: stellt Feierliches und Niedriges ebenso nebeneinander
wie Elemente des Hochdeutschen und der Mundart (im
Gordischen Knoten heißt Alexander einmal »Sklave seines
Ruhms«, ein andermal »Depp«), rückt objektive und sub-
jektive Bezüge auf eine Ebene (»eine Zeit lang saß er in der
Sonne / Einen Satz sprach er gen Mittag zu«) und begnügt

sich zur Erhellung vielfältiger Zusammenhänge mit einer einzigen Chiffre. (Das Wort »Wärme« in der *Ballade vom Weib und dem Soldaten*!) Freilich läßt Brecht seine Leser niemals ganz ohne Winke und hilfreiche Verweise. Dialektische Argumentationen *(Die Nachtlager, Der Schuh des Empedokles, Vier Aufforderungen an einen Mann von verschiedenen Seiten zu verschiedenen Zeiten)* fordern ein kritisches Urteil heraus, überraschende Pointen, Schluß-Volten in der Manier Heinrich Heines erhellen die Wahrheit: die Umkehrung am Ende *(Die Liturgie vom Hauch, Und was bekam des Soldaten Weib?, Das Lied vom Wasserrad)* stellt den vorangegangenen Text oft genug auf den Kopf; die unerwartete, blitzschnell hingezeichnete dialektische Kehre läßt ebenso aufmerken wie das Gegeneinander von Form und sujet (das kommunistische Manifest in Hexametern!) oder die rhythmische Durchbrechung, die sich in gewollten Härten und genau berechneten Unebenheiten des Versmaßes zeigt. Hier wird eine Technik des »Gegen den Strom Schwimmens« demonstriert, eine Art von unorthodoxem Box-Stil, die darauf vertraut, daß das Unübliche noch immer am sichtbarsten ist. (»Der große Bert Brecht... lobte den großen Napoleon...« Nun, warum wohl? Antwort »... weil er auch aß«!)

6

Und dennoch, die Sprache, die einmal so expressionistisch getönt war, richtige Rattenpoesie mit gehäuften Leichen, verwesenden Embryos und schwangeren Leibern, diese blasphemische Anti-Bibel-Diktion, aber auch hymnisch und ekstatisch wie in Döblins *Alexanderplatz*, dieser Jargon, der nichts so sehr wie das Adjektiv »violett« liebte – die Sprache selbst wurde am Ende einfach, schlicht, nüchtern. Es war die Sprache eines Mannes, der sich, immer noch lernbegierig, umgetan hatte, die Gegenstände kannte und auch termini technici (wie »Bauschragen«) nicht verschmähte. Die Bereiche der Naturwissenschaften, der Wirtschaft und Poesie wurden wie selbstverständlich amalgamiert. Brecht brauchte keine Wortneubildungen, keine Fremdwortreime, keine schillernden Metaphern, nicht einmal Verse und Rhythmen. Der Gestus, zuverlässig und präzise, genügte. Damit zeigte der Stückeschreiber und Poet, daß unsere Sprache, von der Hand eines Meisters geführt, ausreicht, um die kompliziertesten Sachverhalte des technischen Jahrhunderts zu beschreiben.

Der balladeske Predigerton, ironisch durchsetzt und ins Lyrisch-Schwebende verkehrt; das graziöse Pathos des Einfachen, die Musikalität des »hat«, »ist« und »wird« ... dies macht die unverwechselbare Eigenart der Brecht'schen Dichtung aus, gibt ihr aphoristischen Glanz. Die Bezüge ergeben sich dabei ganz wie von selbst ... man muß die Worte und Bilder nur in ihrer ursprünglichen Plastizität sehen. (Wie doppeldeutig, Verweise gebend, ist das »zwischen Tür und Angel« in der *Entdeckung an einer jungen Frau!*)

So betrachtet spricht Brecht, bei aller scheinbar mühelosen Leichtigkeit des Dialekts, in der Tat »mit der Grobheit der Größe«. Das mag ihn mit Martin Luther verbinden, mit dem er auch das schlichte Pathos des Predigers und, in ganz anderer Zeit, die kühne Volkstümlichkeit teilt.

Vita

1898 am 10. 2. geboren in Augsburg
1918 Sanitätssoldat
1922 Kleistpreis für *Trommeln in der Nacht*
1923 Dramaturg an den Münchner Kammerspielen
1924 Dramaturg an Reinhardts »Deutschem Theater«, Berlin
1933 Emigration über Tschechoslowakei, Schweiz, Frankreich, Dänemark, Schweden, Finnland, Rußland nach den USA (1941)
1947 Rückkehr aus den USA nach Zürich
1948 Rückkehr nach Berlin
1956 am 14. 8. gestorben in Berlin

Veröffentlichungen über Brechts Lyrik

Arendt, Hannah: Der Dichter Bertolt Brecht. In *Die Neue Rundschau*, 1950

Baumgärtner, Klaus: Brechts Gedicht ›Die Literatur wird durchforscht werden‹. In *Sinn und Form*, 1960

Benjamin, Walter: Kommentare zu Gedichten von Brecht. In W. B., *Schriften*, Band 1. Ffm. 1955

Bloch, Ernst: Das Lied der Seeräuber-Jenny in der Dreigroschenoper. In *Verfremdungen I*. Ffm. 1962

Chiarini, Paolo: Verità e realismo nella poesia di Brecht. In P. C., *La letteratura tedesca del Novecento*, Rom 1961

Fischer, Ernst: Das Einfache, das schwer zu machen ist. In *Sinn und Form*, 1957

Franzen, Erich: Die Hauspostille aus Dreck und Feuer. In E. F., *Aufklärungen*, Ffm. 1964

Geissler, Rolf: Zur Struktur der Lyrik Bertolt Brechts. In *Wirkendes Wort*, 1957/58

Hays, H. R.: The poetry of Bertolt Brecht. In *Poetry*, 1945

Jens, Walter: Der Lyriker Brecht. In W. J., *Zueignungen,* München 1962

Kahler, Erich: Was ist ein Gedicht? In *Die Neue Rundschau,* 1950

Klotz, Volker: Schlechte Zeit für Lyrik. In V. K., *Kurze Kommentare zu Stücken und Gedichten,* Darmstadt 1962

Kraus, Karl: Vorworte. In *Die Fackel,* 1932

Mannzen, Walter: Keine Gegensätze I. In *Frankfurter Hefte,* 1950

Mayer, Hans: Anmerkung zu dem Gedicht ›An die Nachgeborenen‹. In H. M., *Ansichten,* Hamburg 1962

Mayer, Hans: Gelegenheitsdichtung des jungen Brecht. In H. M., Hamburg 1962

Muschg, Walter: Der Lyriker Bertolt Brecht. In W. M., *Von Trakl zu Brecht,* München 1961

Rilla, Paul: Brecht – von 1918–1950. In *Berliner Zeitung,* 1951, Nr. 262

Sachs, Hella: ›Entdeckung an einer jungen Frau‹. In *Neue Deutsche Hefte,* 1963

Schlenstedt, S.: Die Chroniken in den ›Svendborger Gedichten‹. Phil. Diss. Bln. 1959

Schöne, Albrecht: Bertolt Brecht. In *Die deutsche Lyrik,* Band 2, Düsseldorf 1956

Thieme, Karl: Legende von der Entstehung des Buches Taoteking. In *Schweizer Rundschau,* 1946/47

Tucholsky, Kurt: Bert Brechts Hauspostille. In *Die Weltbühne,* 1928

(Vergl.: Bertolt Brecht, *Über Lyrik,* Seite 100 dieses Bandes)

Zur Auswahl

In den suhrkamp texten erschienen 1960 vierzig *A u s g e w ä h l t e G e d i c h t e*. Nachdem nunmehr das lyrische Werk Brechts, von Elisabeth Hauptmann besorgt, in sieben Bänden vorliegt und in Kürze in einem achten Band ergänzt wird, scheint es ratsam, die Auswahl zu erweitern. Zu den vierzig Gedichten der früheren Auswahl treten nun fünfzig neue Gedichte. Die Erweiterung bezieht sich vornehmlich auf die späten Gedichte. Drei der neunzig Gedichte dieses Bandes sind in den *G e d i c h t e n u n d L i e d e r n a u s S t ü c k e n* (edition suhrkamp Band 9) enthalten; beide Bände ergeben einen Querschnitt durch Brechts Lyrik.

Das Prinzip für die jetzige erweiterte Auswahl war das gleiche wie für die Auswahl von 1960. Die Aufnahme mancher Gedichte war durch ihre klassische Geltung vorgegeben. Daneben trat der didaktische Zweck. Brecht – so ist die Meinung des Auswählers – war neben Hofmannsthal der einzige noch universale Dichter unseres Jahrhunderts, der einzige in deutscher Sprache, der in allen Gattungen des Epischen, Lyrischen und Dramatischen Bedeutsames geschaffen hat. Er war ein Dichter, in dessen Händen alte, geprägte Formen zu neuen wurden. Kein anderer Dichter unserer Zeit hat sich innerhalb der lyrischen Gattungen so vielfältig geäußert, in Lied und Ode, in Hymne, Liturgie, Psalm, Elegie und Ballade, in Legende, Gleichnis, Parabel und Chronik, in Unterweisung und Epistel, in Spruchdichtung, Pamphlet und Epigramm, in gebundenen und ungebundenen, in gereimten und reimlosen Versen, in Gedichten klassischer Strophenform, wie Sonett und Terzine, und in sogenannten freien Rhythmen. – Diese Vielfalt, die dichterische und handwerkliche Meisterschaft des Gedichteschreibers Brecht zu zeigen, ist die Absicht der Auswahl.

Die Gedichte sind in chronologischer Folge angeordnet. Das Entstehungsjahr ist, soweit bekannt, im Inhaltsverzeichnis vermerkt. S. U.

Inhalt

Gedichte

Bertolt Brecht »Über Lyrik« *(edition suhrkamp 70)*

Der Band sammelt wichtige Äußerungen Brechts zu seinen Gedichten und zum Thema Lyrik allgemein. Er enthält u. a. die folgenden Texte: Lyrik-Wettbewerb / Das Formale eher gering geschätzt / Wo ich gelernt habe / Flüsterlied von Fritz Brügel / Logik und Lyrik / Die Dialektik Die Lyrik als Ausdruck / Der Lyriker braucht die Vernunft nicht zu fürchten / Über Fortschritte / Volkstümliche Literatur / Weite und Vielfalt der realistischen Schreibweise / Notiz zu Shelley / Formalismus und neue Formen / Zwischen Didaktik und Amüsement kein Unterschied / Über die Lyrik und den Staat / Lyrik und Logik / Brief an einen Freund einen Kritiker betreffend / Realistische Kritik / Briefe über Gelesenes / Die Schönheit in den Gedichten des Baudelaire / Über Goethes Gedicht »Der Gott und die Bajadere« / Wir müssen nicht nur Spiegel sein / Über die »Hauspostille« / Über die »Svendborger Gedichte« / Anmerkungen zu den »Chinesischen Gedichten« / Über reimlose Lyrik mit unregelmäßigen Rhythmen / Zu den Epigrammen / Zum »Manifest« / Über reine Kunst Über anonyme Gedichte / Über Plagiate / Originalität / Die Übersetzbarkeit von Gedichten / Anläßlich der gescheiterten Übersetzung eines Arbeiterliedes / Zur Frage der Übersetzung von Kampfliedern / Über die Verbindung der Lyrik mit der Architektur / Das lyrische Gesamtwerk / Über das Äußere von Gedicht-Ausgaben / Über das Komponieren von Gedichten / Über das Zerpflücken von Gedichten / Wie man Gedichte lesen muß / Rezitation

Bertolt Brecht
im Suhrkamp Verlag und im Insel Verlag

11/1/1.93

Bertolt Brecht
im Suhrkamp Verlag und im Insel Verlag

11/3/1.93

Bertolt Brecht
im Suhrkamp Verlag und im Insel Verlag

Über Politik auf dem Theater. Herausgegeben von Werner Hecht. es 465

Über Politik und Kunst. Herausgegeben von Werner Hecht. es 442

Die unwürdige Greisin und andere Geschichten. Zusammengestellt von Wolfgang Jeske. st 1740

Das Verhör des Lukullus. Hörspiel. es 740

Versuche. 4 Bände in Kassette. Kartoniert

Brecht im Gespräc h. Diskussionen, Dialoge, Interviews. Herausgegeben von Werner Hecht. es 771

Materialien

Brechts ›Antigone‹. Herausgegeben von Werner Hecht. stm. st 2075

Brechts ›Aufstieg und Fall der Stadt Mahagonny‹. Herausgegeben von Fritz Hennenberg. Mit Abbildungen. stm. st 2081

Brecht- Journal. Herausgegeben von Jan Knopf. es 1191

Brecht-Journal 2. Herausgegeben von Jan Knopf. es 1396

Brechts ›Dreigroschenoper‹. Herausgegeben von Werner Hecht. stm. st 2056

Brechts ›Gewehre der Frau Carrar‹. Herausgegeben von Klaus Bohnen. stm. st 2017

Brechts ›Guter Mensch von Sezuan‹. Herausgegeben von Jan Knopf. stm. st 2021

Die heilige Johanna der Schlachthöfe. Bühnenfassung, Fragmente, Varianten. Kritisch ediert von Gisela E. Bahr. es 427

Brechts ›Heilige Johanna der Schlachthöfe‹. Herausgegeben von Jan Knopf. stm. st 2049

Brechts ›Herr Puntila und sein Knecht Matti‹. Herausgegeben von Hans Peter Neureuter. stm. st 2064

Brechts ›Kaukasischer Kreidekreis‹. Herausgegeben von Werner Hecht. stm. st 2054

Materialien zu Brechts ›Leben des Galilei‹. Zusammengestellt von Werner Hecht. es 44

Brechts ›Leben des Galilei‹. Herausgegeben von Werner Hecht. stm. st 2001

Brechts ›Mann ist Mann‹. Herausgegeben von Carl Wege. stm. st 2023

Brechts Modell der Lehrstücke. Zeugnisse, Diskussion, Erfahrungen. Herausgegeben von Reiner Steinweg. es 751

Materialien zu Brechts ›Mutter Courage und ihre Kinder‹. Zusammengestellt von Werner Hecht. es 50

Bertolt Brecht
im Suhrkamp Verlag und im Insel Verlag

Brechts ›Mutter Courage und ihre Kinder‹. Herausgegeben von Klaus-Detlef Müller. stm. st 2016

Brechts Romane. Herausgegeben von Wolfgang Jeske. stm. st 2042

Materialien zu Bertolt Brechts ›Schweyk im zweiten Weltkrieg‹. Vorlagen (Bearbeitungen), Varianten, Fragmente, Skizzen, Brief- und Tagebuchnotizen. Ediert und kommentiert von Herbert Knust. es 604

Bertolt Brecht. Sein Leben in Bildern und Texten. Mit einem Vorwort von Max Frisch. Herausgegeben von Werner Hecht. Leinen

Brechts ›Tage der Commune‹. Herausgegeben von Wolf Siegert. stm. st 2031

Theaterarbeit. Sechs Aufführungen des Berliner Ensembles. Mit zahlreichen Fotos. Leinen

Brechts Theaterarbeit. Seine Inszenierung des ›Kaukasischen Kreidekreises‹ 1954. Herausgegeben von Werner Hecht. stm. st 2062

Brechts Theorie des Theaters. Herausgegeben von Werner Hecht. stm. st 2074

Brechts ›Trommeln in der Nacht‹. Herausgegeben von Wolfgang M. Schwiedrzik. stm. st 2101

Zu Bertolt Brecht

Walter Benjamin: Versuche über Brecht. Herausgegeben und mit einem Nachwort versehen von Rolf Tiedemann. es 172

Walter Brecht: Unser Leben in Augsburg, damals. Erinnerungen. Leinen und st 1368

Werner Hecht: Sieben Studien über Brecht. es 570

Wolfgang Jeske: Bertolt Brechts Poetik des Romans. Kartoniert

James K. Lyon: Bertolt Brecht und Rudyard Kipling. es 804

James K. Lyon: Bertolt Brecht in Amerika. Aus dem Amerikanischen von Traute M. Marshall. Leinen

Hans Mayer: Anmerkungen zu Brecht. es 143

Werner Mittenzwei: Das Leben des Bertolt Brecht oder Der Umgang mit den Welträtseln. 2 Bände. Leinen

Ernst und Renate Schumacher: Leben Brechts in Wort und Bild. Leinen

Antony Tatlow: Brechts chinesische Gedichte. Leinen

11/5/1.93

Deutschsprachige Literatur
in der edition suhrkamp:
Lyrik

Deutschsprachige Literatur
in der edition suhrkamp:
Lyrik

302/2/2.92

Deutschsprachige Literatur
in der edition suhrkamp:
Prosa

Deutschsprachige Literatur
in der edition suhrkamp:
Prosa

Deutschsprachige Literatur
in der edition suhrkamp:
Prosa

Frankfurter Poetik-Vorlesungen
in der edition suhrkamp

319/1/9.93